KB164104

기생수
寄生獸 2

HITOSHI IWAAKI 애장판

寄生獸

기생수

2

contents

애장판

― 제10화 ― 집 착

허둥
지둥
…으야. 혼자 지내기 시작하자마자 지각이라니~!

너, 내내 깨어 있었으면서 왜 제시간에 안 깨웠어?

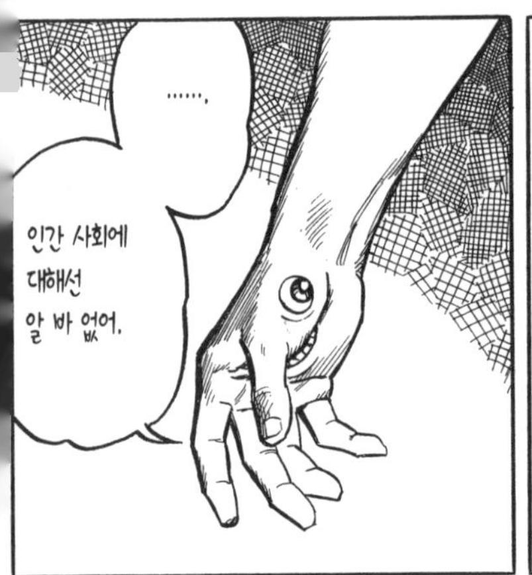
…….
인간 사회에 대해선 알 바 없어.

네가 늦잠을 잔 건 몸이 수면을 요구하기 때문이겠지…. 휴식은 몸에 좋아.

네 건강은 내 건강이기도 하니까.
네네, 어련하시려구요.

지금 가도 1교시는 끝났을 테니…. 천천히 가자.

덜컹
덜컹

出口

오른쪽이, 자나?
왜? 좀 졸리는데….

엄마가 떠나시기 전에 나한테 많이 변했다고 했는데…. 구체적으로 어떻게 변했다는 걸까? 난 잘 모르겠는데….

게다가 그 애도 그런 말을 했고….
변했어, 신이치.

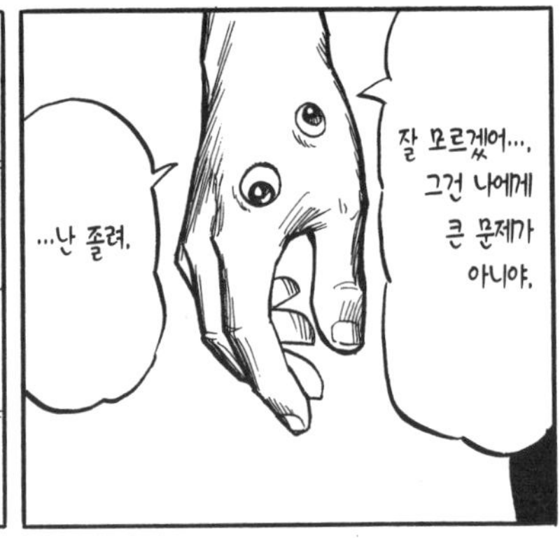
잘 모르겠어….
그건 나에게
큰 문제가
아니야.
…난 졸려.

그래!
「타미야 료코」도
이상한 소릴 했어.

너… 조금이지만
섞여 있군….

그 「섞여
있다」라는 게
무슨 뜻이야?!

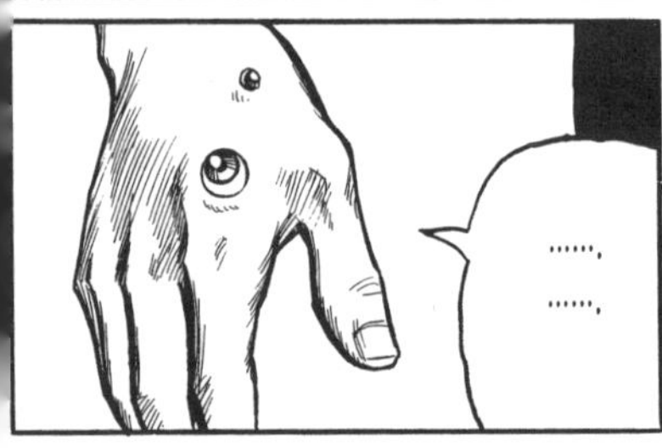
…….
…….

내 몸은
신경과 체액 등으로
네 온몸…
즉 뇌하고도
이어져 있어.
흠.
그 뜻인지
모르지.

흐음….

엉?
뭐가?

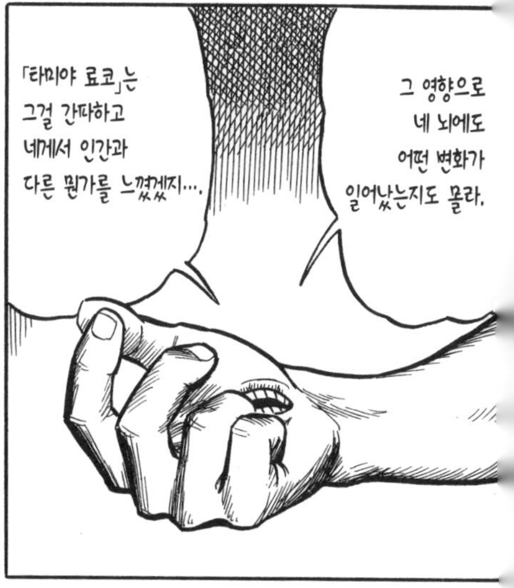
그 영향으로 네 뇌에도 어떤 변화가 일어났는지도 몰라.
「타미야 료코」는 그걸 간파하고 네게서 인간과 다른 뭔가를 느꼈겠지….

……․.
인간과 다르다니? …난 보통 인간이야. 오른손 말고는….
그야 알 수 없지….

하지만 정신구조에 어떤 변화가 생겼다 해도 이상할 것 없어…. 별 문제는 아니야.
난 졸려. 잘 거야.

뭐, 뭐가 어째?! 임마!!

…….
야!
일어나! 얌마!
찰싹
찰싹
찰싹
찰싹

……. …….

이상한 소리
하지 마~!!

혹시 놈들의
냉혹하고
잔인한 마음이
내 속에….

재미있군….
역시 죽이는 건
그만두자.

섞여
있다고…?

너, 많이
변했구나….

뭔가…
뭔가가
아니야!

변했어.

내 마음은
보통 사람과 같아!

그마안!!

터벅

인간을
잡아먹고
싶다는 맘은
안 드니까….

툭
쳇!

뭐지?
이 더러운
가방은….

잠깐… 이 가방,
어디서
본 것 같은데….

…….

퍼억
?!
우당탕

어, 싸움이다.

일어서,
임마!

퍼억
파악

저건
나가이 아냐?

빠
악

그만 해!

…….

뭐야?
넌!

신이치…!

무슨 이유인지
몰라도 좀…
지나친 것 아냐?
그 애는
나랑 같은 반이야.

헷!
킬킬킬
킬킬….

…….
…….
…….

저벅
저벅

같은
반이시라….

퍽
억

우하하하
어서 학교나 가셔.

같은 반이라면 저 놈도 서부 고교…?
용돈 좀 뜯어 볼까?
관둬. 불쌍하잖아….

비틀

여어! 이제 정신이 드냐?
…….

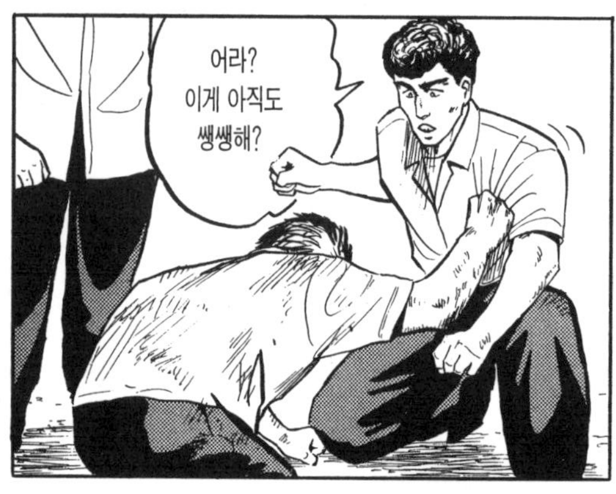
어라?
이게 아직도
쌩쌩해?

…….
…….

미안하다.
나가이.

어차피
내 힘으론
이길 재간이
없어….

그냥
싸우는 건데.
…뭐.

인간의 마음 중
특히 이해가
안 가는 건…
「헌신」이야.

자신이
손해를 보더라도
타인을 위해
뭔가를 하는….
나로선
이해할 수가
없어.

인간의
마음…?

멈칫

해봐야
손해일진
몰라도…
거기에
집착하는 것이
인간….
그것이 기생생물과
다른 점이지!

하지만 이럴 땐
피하는 게
보통이잖아….
아니,
싸워야 하나?
인간이라면?!

그…그만
하랬잖아!
할 거면 좀더
정정당당히 해!

…….
…….

너 제정신으로
지껄이는 거냐?
그…그래!

쪼끔…
후회는
되지만.

콰당
빠악

퍼억

으라차!

난 이런 말만 뻰지르르한 놈만 보면 열받는다구!!
닥쳐!!

잠깐! 그만 해!

콰당쿵

쿵옷

안 돼!
오른쪽이한테
주의 주는 걸
잊었다!!

그만 두랬잖아!

…….

그런 상대한테
행패부리는 건
꼴사나워.
쳇.

너도 웃긴다….
약한 주제에.

…?!

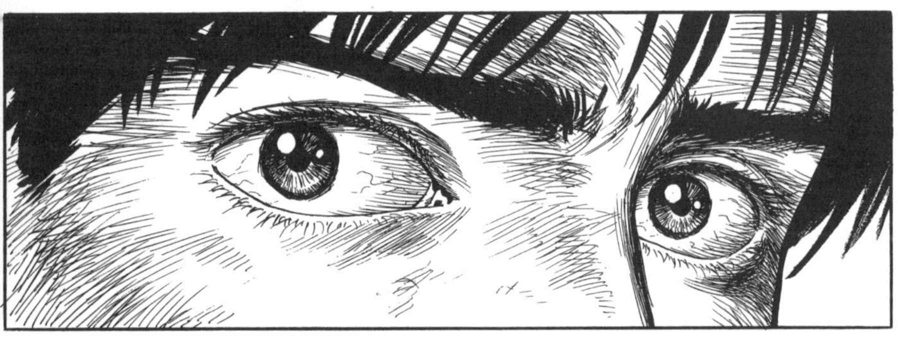
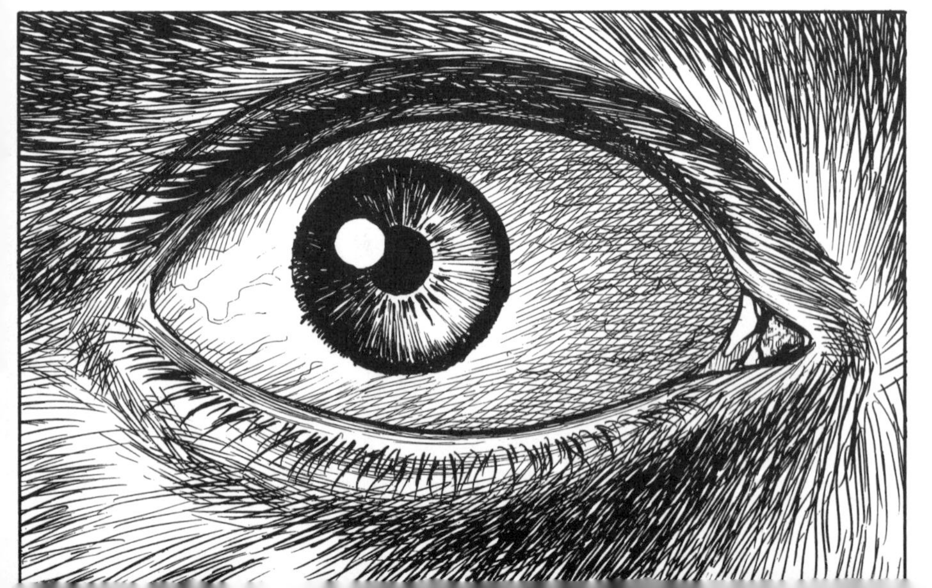

우앗!

야, 카나!
어서 가자.
너…
넌 대체….

……?

퉤

…괜찮나,
나가이…?
켁.

…?

너, 바보 아냐?

그게 동물과 다른 점이야….
난 인간이니까….

…?

야, 신이치,

나가이한테 들었는데, 너… 북부고 놈들하고 한 판 했다며?

한 게 아니라 당한 거야.
일방적으로.

그 자식들, 요즘 자주 보이던데….
우리학교 깡패들이랑 티격태격 하나 봐.

나가이는 그 멤버 중 한 명이고.
그래?

너… 그 얼굴,
어떻게
된 거야?
신이치도
싸우고
다녀?
약한
주제에.

…….

하하—
여자 친구가
있었어?

넌 오늘
아침에….

또 뭐하러…?

…….

얘, 네 남자 친구
괴짜지?
좀 별나지?
어…?

…….
그런데…
너, 왜 그 때
도망치지
않았어?

가자.

그렇게
대단한 건
못….
사실 뭐 쪼끔
별날지는
몰라도…

별 거
아니야.
신이치,
재 뭐니…?
나 무서워….

**별나게
정의의 기사인양
설치는 놈들치고
뒤 안 구린 놈
못봤다구!**
**잘난 척
하지 마!**

저놈한테
볼일 있다는 게
이거였어?
야….
…….
…….

카나….
너, 취향이
바뀌었냐?

착한 척하는
도련님 타입이
제일 싫다더니….

…….
싫어.

남자는 말이지…
역시 야성미가
없으면 안 돼.

그래… 인간이
아닌 듯한
그 야성미….

너, 질투하는
거니?

뭐어?!
내가 뭐하러!!

며칠 후.
미치겠어—. 미츠오, 걔는 질투심이 정말 하늘을 찌른다니까—.

뭐야? 저것들, 항상 같이 집에 가나?

……. …….

무슨 소꿉장난 같네.

응?

꺄악

헉
헉

히힉.
오셨군,
이 사기꾼!

신이치~!!
너한테 볼일없어.
어서 가보시지.

?!

그… 그 애를
놔 줘.

그건
싫은데….
하지만 넌
보내 주지.

뭐야…?

아파~!!
이거 봐.

빠
악

퍽
억

정의의 사도 행세는 이제 충분해.
꺼져.

....
....

비틀
비틀

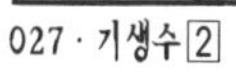

신이치!

얼쑤.
크엑!

빠악
어차.

봐라, 카나….
이 따위 한심한 자식이 뭐가 좋나? 이제 곧 여자를 팽개치고 내뺄 거다!

으윽….
어서 꺼져!
하지마! 약마 멍청이

걱정 마….

…경우에 따라서….
오른쪽아, 자고 있어! 지금은 나서지 마!

신이치.
!

더 이상 맞지만 않으면 되니까!

철썩
쿡.

헉 헉
신이치… 참고로 상대의 파워를 가르쳐 주마.
?!

신이치의 힘을 10으로 보면 저 큰놈이 약 18….

오른쪽이 13, 왼쪽이 14다.

이 판국에 무슨 소리야!

상대의 힘을 재보는 능력은 개나 고양이도 있어…. 동물은 승산없는 싸움은 피한다.
그래서 어떡하란 말야?

그만 해~!
그만 해~!

인간에겐…
물러설래야
물러설 수 없는
때가 있어.
후-우
후-우
그게 너희랑
다른 점이야.

흑!

오른쪽아!
오른손 감각이 둔해!
주도권을 넘겨!

콰
악

뭘 중얼
중얼…

씨부렁,
퍽억

대,
빠악

파악
나!

신이치!

쿠당

으윽…
쿨럭 쿨럭….

이 자식이….
이래도 도망 안 가?
그렇게 폼잡고 싶나?

그…,
그 애를
놔 줘!
안 그러면….

안 그러면 뭐…?
엄마한테 이를 거냐?

아, 안 돼!
바보야!
!!

카… 카나….

너희들!
상관도 없는
친구한테
무슨 장난이냐?

그만 해둬,
미츠오….
치사해서 더는
못 봐 주겠어!

!!

그것도
우리 터에서….
배짱도 좋군.

쳇.

야, 카나!

여자는 보내준다….
너희하고는
다르니까.

저번 일의
답례다!

카미조…
나가이….

신이치!

시끄러!
난
인간이라니까!
다수가
소수를 공격한다….
동물로서는 이놈들이
신이치보다 현명해.

어서 가 봐라….
너희들
보고 있으니
맥빠진다.

아… 으응.
어디 봐,
괜찮아?

이제 가도 돼.
…못 걸을 정도는
아니니까.
싫어,
바래다
줄게….

…….

들어왔다 갈래?
아무도 없는데.

정말 미안해~.
A REST
EMBARRASSED

사토미가
사과할 일도
아닌데….
아이야…

저기…
내가 이상하냐
…?

하하,
정말….
왼손은 이렇게
상처투성이인데.
REST
BRASSED

어?
오른손은
말짱하네?

보통 사람과
전혀 달라!
어디가?!

딴 사람들이랑
그렇게 달라?
달라.

흔치 않아~.
그렇게까지
버티는 인간은!

…….

멋있다는 게.

아… 그
칭찬하
거지

물~론이지!
A REST

…….

5시 반이라….

더 놀다 갈래?

아니,
집에 갈게.

뭐야….
재미있는 걸
보게 되나
기대했더니.
A REST
EMBARRASSED
잠이나 자.

웃기는 애야….

약해빠진 주제에
폼잡고 있어….
뭐야,
대체….

제10화 —끝—

꽤 멀리 왔네.
…자동차란
빠른 거군….
어…?
뭐라고?

좋아!
그럼 좀더
멀리까지 가자!
경치 끝내주는
곳이 있어!

내일 바빠?
…별로….

아침에
보면….
여자는 불과
몇 시간 전에
이 남자를 만나,
그가 권하는 대로
차에 탔다.

사실
이 여자의 머리는
기생생물이다….

제11화 이 별

남자의 목적은
여자와 사귀는
것이었지만,
여자의 목적은
남자를 먹는
것이었다….

애정 없는 기계처럼
차가운 마음―.
그것이 이 기생생물들의
공통점이지만,
자란 환경이나
숙주의 성질에 따라
한 마리 한 마리 다른 특징을
갖게 된다.

이 여자의 머리는
「A」처럼 성급하지도 않고,
「타미야 료코」처럼
높은 지능을 갖지도 못했으며,
「오른쪽이」처럼 호기심이
왕성하지도 않은―말하자면
별 특징없는 「무개성파」였다.

몇 분 후,
어떤 사고가
일어나기
전까지는―.

윽…!
이럴 수가….

이럴 수가 있나.
몸이 안 움직여!

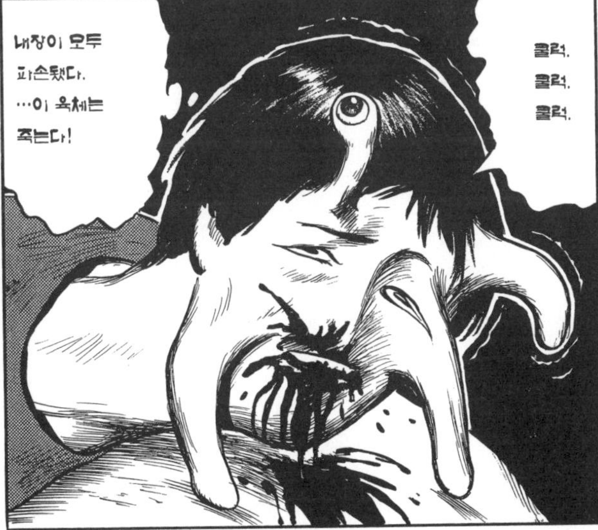
콜럭.
콜럭.
콜럭.
내장이 모두 파손됐다. …이 육체는 죽는다!

그 남자는…?

으… 으으….
크흑…. 과연… 이럴 때를 위한 벨트로군….

퀼 벅

목을 절단—
새로운 결합—
그리고 소생—.
모든 것을
순식간에 해치운다.

잘 될지 몰라도
…그래도 어차피
머리로 옮겨가야….
동체 조종법은
여자와 별 차이가
없겠지….

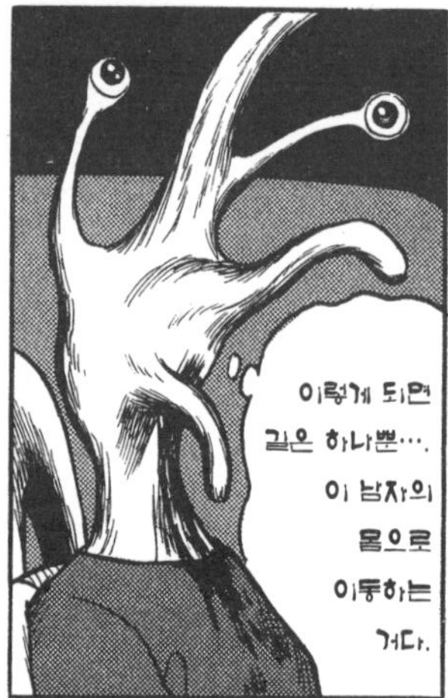
이렇게 되면
길은 하나뿐….
이 남자의
몸으로
이동하는
거다.

응… 으으으….

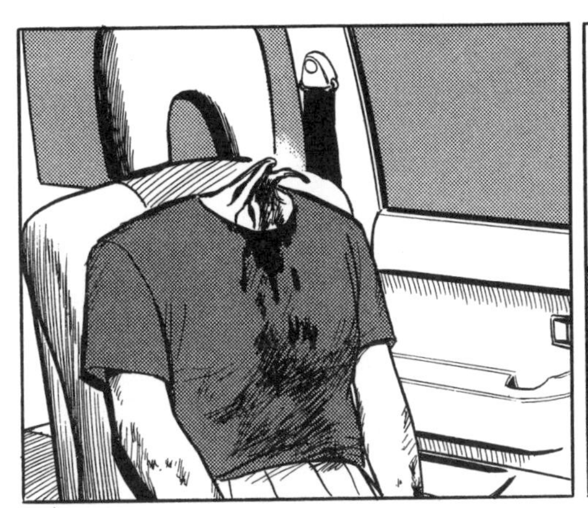

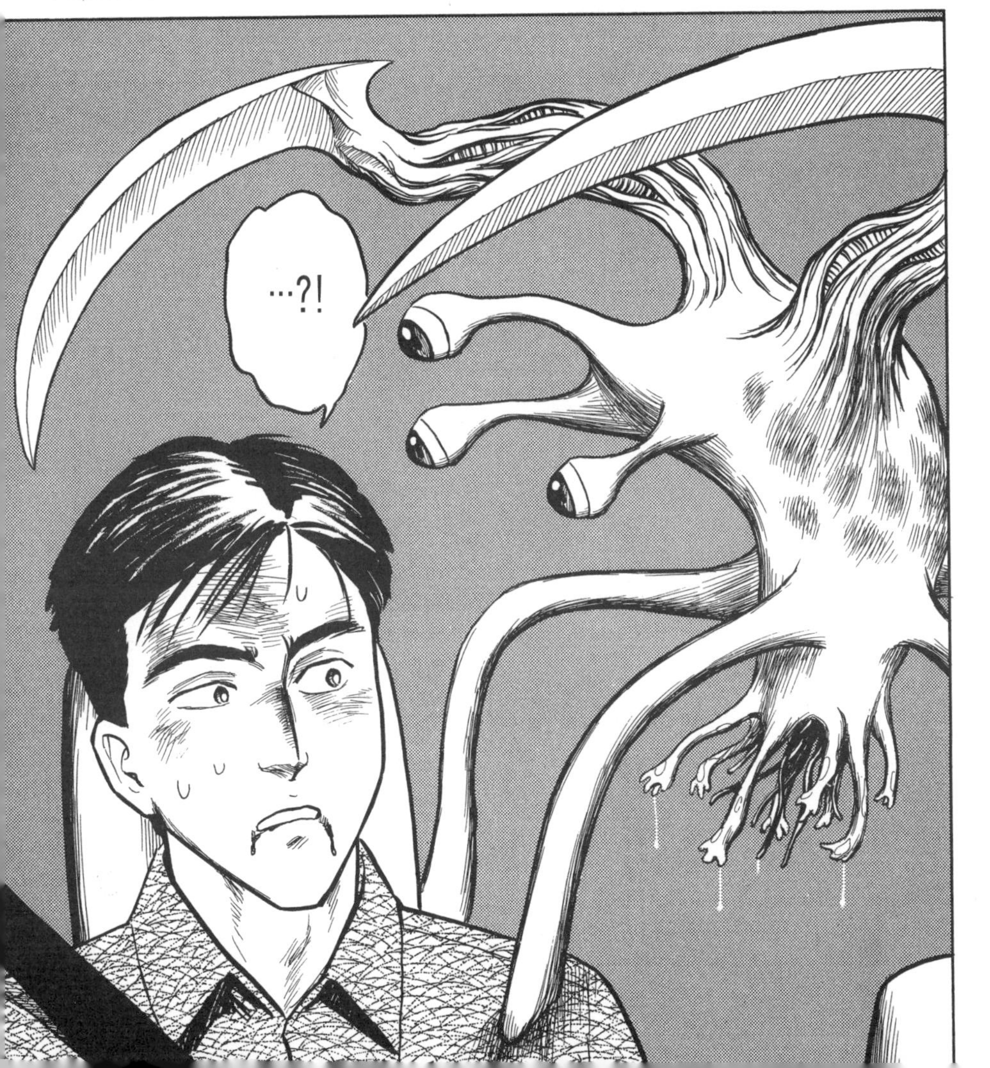
…?!

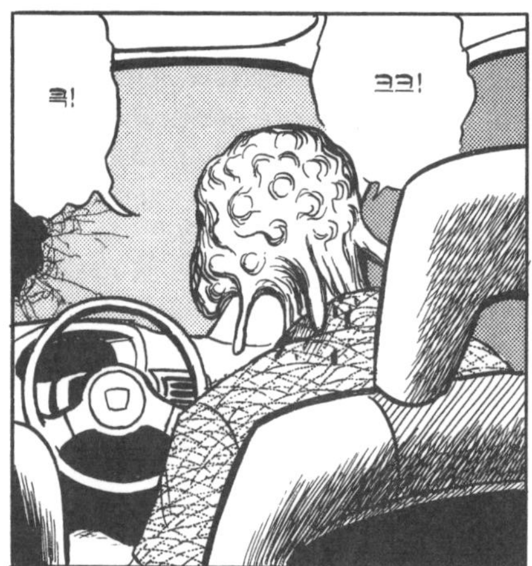
콱!
크크!

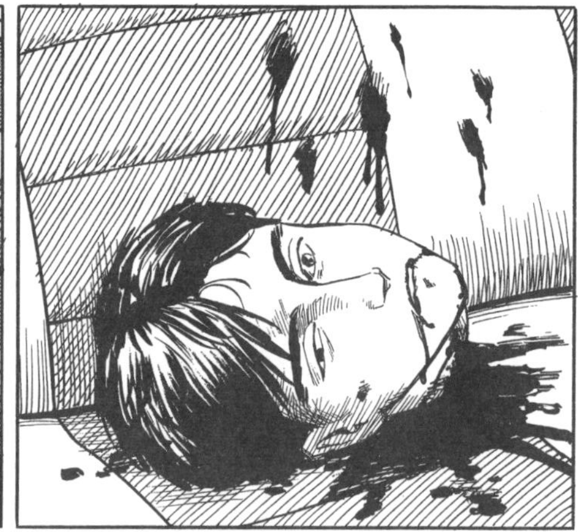

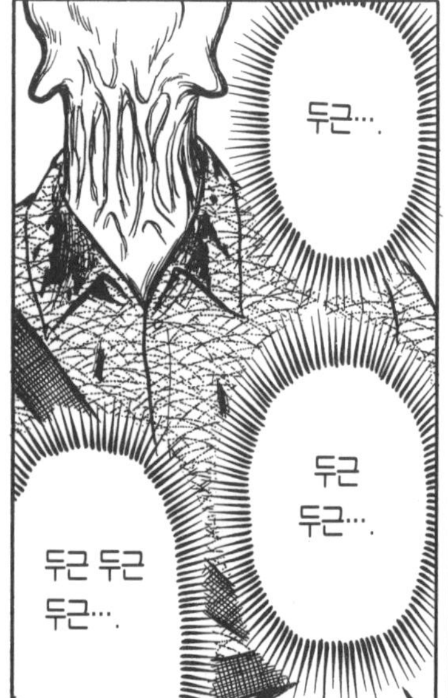
두근….
두근 두근….
두근 두근 두근….

움직여라! 움직여!
왜 이러지…? 움직여라….

이번에는 다리를!

움직였다!

움찔……

됐다….
마침내
해냈어!

움직인다!
움직여!
나는
살아 있다!

이런 얼굴
이었던가….

부석
부석
여기는…
어디쯤일까?

부웅

바———앙

기… 일…
길을…
잃어서….

그나저나 형씨,
이 꼭두새벽에
그런데서 뭘 하셨수?

시내… 는
멉… 니까?

옷깃도 시뻘건 게,
코피라도 흘렸수?

저런!
목이 완전히
갔구만….

뭐, 시내랄
것도 없지만
…거의 다 왔소.

길가에다 싸요,
길가에!

시트에다
오줌싸면 어떡해.
이거 잠이
덜 깼군!

으엑—!
이게 뭐하는
거야!

…….
…….
부릉—

비틀
윽!

제길….
생식기 계통의
구조가 여자와
너무 달라
다루기 힘들군….

왜 이러지….
말을
안 들어!
거부반응인가!
빌어먹을!

이제 이성의 몸은 맞지 않아….
여자여야 한다….

도시를 떠난 게 실수였어!
어서 여자를 찾아 다시 한 번 이동을….

끄윽….

털썩

여보세요….
어머,
자고 있었니?

응….

벌써 아침인데.
안 일어나면
지각해….
아침은
잘 챙겨먹고 있지?

응응….

잠이
덜 깼나 봐요.

얘는…
수화기에다
대고
하품이나
하고….

후아~.
아아…
잘 있어.

잘 있었어?

애도 참….

이….

예~
아침 꼭 먹고
학교가야
한다?

가끔은 부부끼리
이렇게 다니는 것도
좋군….
내일이면
돌아가는군요….
정말 즐거운
여행이었어요.

……
……

왜 그러오…?

신이치 말예요….
아까 전화할 때,

오랜만에 목소리를 들었는데도 아무렇지 않아 하네요.
김이 샜다고나 할까….
더 보고 싶어 할 줄 알았소?

그런 거지.
…벌써 고 2니까.
그 녀석,
보기보다 속이
꽉 찼나 보군.

이제 혼자 둬도 잘해 나갈 거요….
…그럴까요…?

여자다…!!

크크큭….
어떻게든…
어떻게든
저 여자의
몸을….

어머,
멋있어라….

여기 참
좋네요….
음….

언젠가 또…
신이치도
데리고 와요….

하하하,
어딜 가든
신이치 타령….

여보…!!

네?

그럼 오늘 저녁은 뭘 먹을까나?
신이치.
왜?

네 식사는 아무래도… 너무 치우쳐 있다.
뭐라고?

사먹는 건 할 수 없다쳐도 영양의 균형을 좀더 고려하는 게 좋겠어.
특히 야채는 생야채 말고도 익힌 채소류를 많이 섭취해야 돼.

야채 주스 광고 같은 소리하고 있네…. 짜증나게.

너희 어머니가 만들어준 식사는 늘 균형잡혀 있었어. 그런 게 바람직하다.

내일부턴 먹을 수 있을 텐데, 뭐.

인간만 먹잖아!
그건 너무
치우친 거 아니냐?!
그럼
네 「동족」은
어떻고!

…가만.

……,
……,

확실히 그렇군.
…좋은 걸
지적해줬다.
왜일까…?
힛힛힛.
모르겠지?
쌤통이다.

쏠칵
쏠칵

톡

너구나….

안녕.
또 만났네. 오늘은 혼자야?

…….

전에도 마주쳤을지 모르겠네.

너도 이쪽 방향이야?

지난번엔…
미안했어.
뭐?

미츠오 말야….

덜컹
덜컹

이제 됐어….
너희쪽 세 명도
엄청 맞았으니까….

그럼
화해해!

적어도
너랑 나는
화해한 거다?

아….
그래….

…….

…….

잘 가라.

비잉—
아,
나 여기서
내려.

신치이….

그 여자…
조심하는 게 좋아.
보통 사람과
다르다.
무슨 소리야?

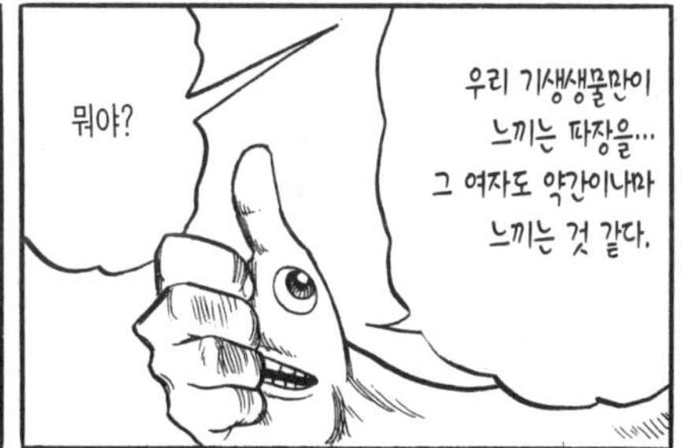
우리 기생생물만이
느끼는 파장을…
그 여자도 약간이나마
느끼는 것 같다.
뭐야?

하지만
인간인데….
그럼 저 녀석
어쩌면…

초능력자?
같은거?
그렇게
거창한 건
아니야.
그래도
방심하면
안 돼.

신이치가 좋아하는
사토미도
꽤 예리한 감각을
지니고 있지만….

그 여자는 차원이 달라.
50미터 이내에서
내가 신호를 보내면
반응할지도 모른다.
헤에….

가급적
가까이하지
않는 게
좋겠어.
그럴…
겠다.

어서 옵쇼,
어서 옵쇼—.
떨이요,
떨이—.

뭐… 못 먹을 건
아니군.

생야채 말고도
익힌 채소류를….

혼자
지내는 것도
오늘로
끝인데….
난데없이
요리
씩이나
하다니.

신이치,
오늘 저녁식사는
꽤 좋았다.
이게…
자기는 맛 같은 건
상관없으니까….
ENTREAT

먹을 만 해….
맛은 없지만.
ENTREAT

띠리리리 리리리

여보세요….
신이치냐!

아버지…?!

내… 내일은 못 올라간다! 네 엄마가….

아… 아버지, 무슨 일이에요? 대체….
예?!

아버진… 경찰에 가봐야 해….
그 괴물이…!

!!

아버지…!
아버지!!
어…

엄마는요…?

네 엄마는….

…….
…….

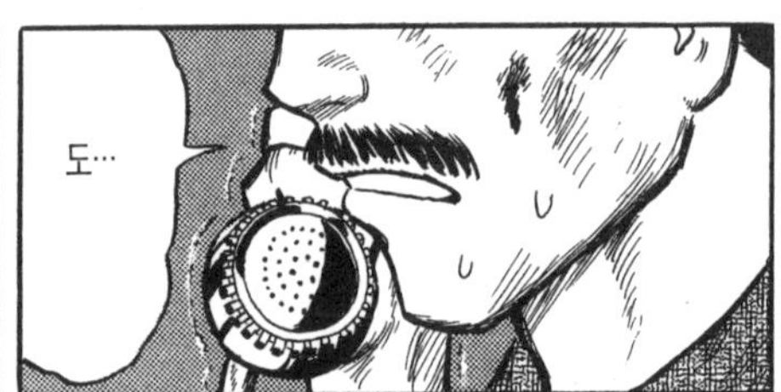
도…

동요하지 말고!
맘 단단히 먹어라!
알았지!!
지금….

뚜—

아버지!!

께기기긱

끄… 끊어졌군.

이… 이봐요!!

미안하지만,
도…
동전을….

뭐야!
위험하잖아요,
아저씨!

차로 나르는 게
빠르잖아?
어떡하긴
구급차 불러야지!
어, 어떡하지?!

뭐야, 이건!
상처가
엄청나잖아!

아, 여보세요!
벼, 병원이
어딨는지
알아야지!

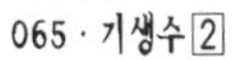

제11화 —끝—

—제12화— 가슴에 뚫린 구멍

아버지….
엄마….
어딨어요…?
거긴 어디야?
「다음 목적지는
그날 그날 정할 거야.
자잘한 일정같은 건
없어!」
「빡빡하지 않아서
참 편해.」

아버지….
내일
못 올라간다….
「그
괴물을….」
괴물이 아니라
엄마야!
엄마가?
엄마가…
어떻게 됐는데?

「신이치….」
엄마!

—아침이
돼버렸다….

어머,
안녕하세요?

안녕—.
안녕—.

좋아—!
그럼 다음은
신이치!

결석인가?
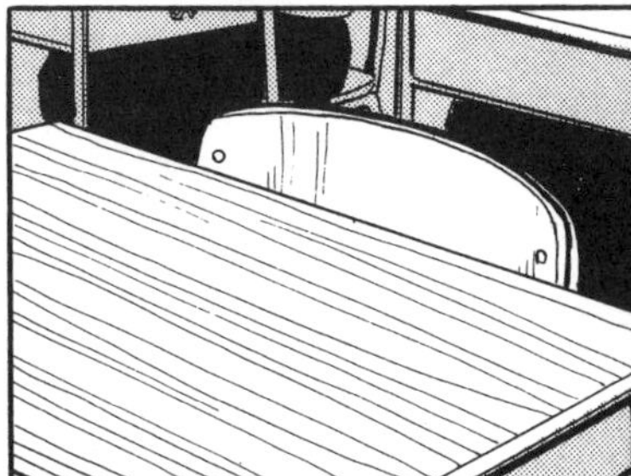

왜…

「동요하지 마!
맘 단단히
먹어라!」
「엄마는…
도…」

그런 전화
한 통으론
뭐가 뭔지….
왜 아무 연락도
없는 거야!
벌써 저녁 땐데!

괴물…
전화로 아버지는
분명히 말했어!

신이치,
이제 그만 식사를 해라.
그리고 수면도 부족해.
최소한…
장소라도
알면….
ENTREAT

괴물….
그래!
괴물이라면
또 뭐가 있겠어!
너희들….
ENTREAT
잠깐,
신이치.

「동족」이다.
내 「동족」이
나타났다!

무슨
소리야…?
현재 한 마리가
이 근방에
나타났다고.

저쪽도 우리를
알아챈 것 같은데….
목적은 모르겠군.
…….

점점 다가온다.
거리는
약 200미터.
괴물
천지야.
우글우글
대는군

신이치…,
왜 그래?
신이치?

그럴 경우
선수를
뺏는 쪽이
이긴다.
마음의 준비를 해둬!
현재로서는 우리에게
적의를 갖고 있지 않지만
지금까지의 예로 보아
전투가 벌어질 가능성이
크다.

난 원래…
여행에 반대했었어.
그런데 네가
괜찮다는 바람에….

?

너 때문이야….
……

입 닥쳐!

난 「괜찮다」고 하진
않았어.
확률적으로 도심보다
안전하다고 했을 뿐이지.
그건 너도
인정한 거야.
네 부모
이야기로군…

…….
…….
맨 처음에…
…오른손에 이상한 게 기어들었을 때….
ENTREAT

그래! 진작 털어놓을 걸 그랬어!

오른손 하나쯤 잘라버리고! 모두에게 알렸어야 했어!!
신이치….

떠나기 전에 엄마는… 내가 뭔가 숨기는 걸 눈치채고…
털어놓으라고 했는데도 난….

신이치… 그 일에 관해 네가 여러 가지를 말하고 싶다는 건 알았다….
허나 지금은 눈앞의 싸움을 생각해. …그 다음에 이야기하자.

그 다음에 이야기해?
흥!

상대까지의 거리는 약 30미터. 역시 여기가 목표다.
첫.
벌떡

싸울 준비라….

아니…
너는 마음만
먹으면 돼.
무기는
필요없다.

상대가 우리를
적으로
판단하기 전에
내가 일격으로
처치한다.

빈손으론
못 가….

그 망할놈의
괴물들이!
나는 지금
미워서 죽을
지경이란 말야!!

움직임이
멎었다.
현관 앞까지
왔어!

벨은 안
누르는군….

하하,
괴물이 벨 누르고
「실례합니다」
하겠냐?
철컥철컥
덜컥

뭐야,
저건….
우리집…
현관 열쇠라도
갖고 있나?

들어온 거
아냐…?

엄마…!
어…?

엄마…?

또박

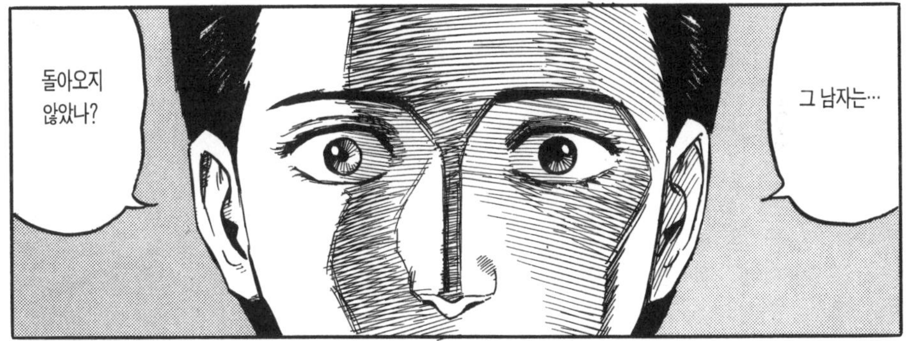
돌아오지 않았나?
그 남자는…

이상하네…. 엄마?
어… 엄마. 다녀오셨어…요?

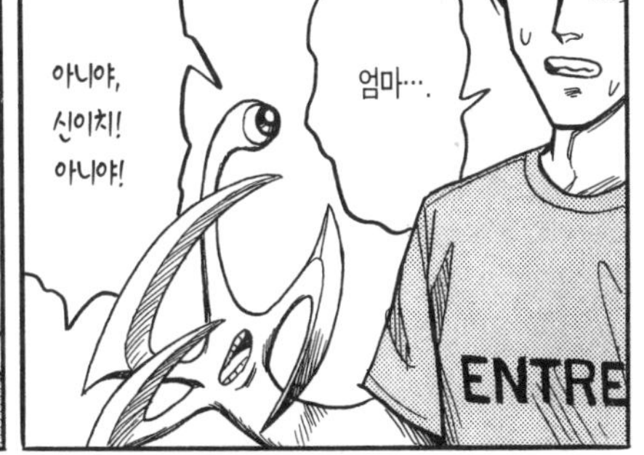
아니야, 신이치! 아니야!
엄마….
ENTRE

왜 손에 기생하고 있나?
어떻게 된 거지….

…….

저 놈은
네 어머니의 머리를
처치한 거다.

…….
…….

어? 손?
아… 아아,
이건….
더… 더 일찍
털어놓으려고
했는데…
어쩌… 다가….

놀랄 것 같아서.
이런….
아니야,
신이치!
닥쳐!

…그 남자는
역시
죽었나.
아니지….
그곳으로 돌아가
다시 한 번
확인할 필요가
있겠군.

신이치!
식칼이 방해된다!
치워!

가만 있어….
오른쪽아!

머리를 뺏지 못해 인간의 지배하에 놓이다니.
오른손이라 …운이 없었군.

그렇지? 엄마….
오른손이 말하는 것부터가 이상하다구.

그러니까 제발 장난 그만 해요!
어… 엄마! 숨기던 거 전부 털어놓을 테니까!

으….

닥쳐! 닥쳐! 괴물은 너란 말이야!!

신이치! 눈을 떠라! 네 어머니는 이미….

더 이상
주둥아리 나불대면
그냥 잘라버린다!!
신….

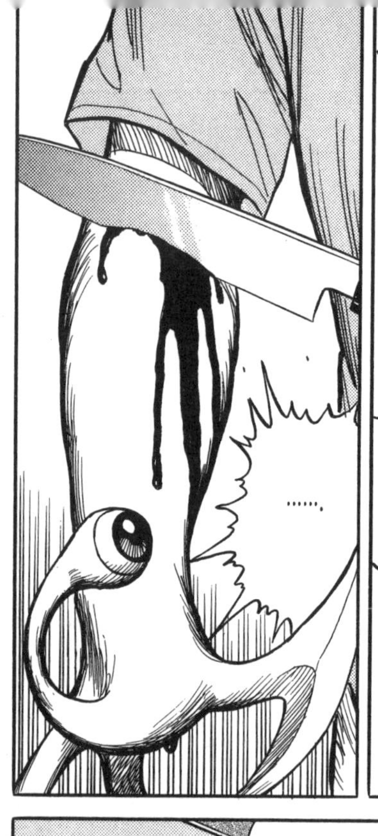
…….

…엄마….

나 기억해.
…그 손목의
화상자국….

엄마?

나… 항상
볼 때마다
생각했어….

엄마한테
사과해야 한다고….

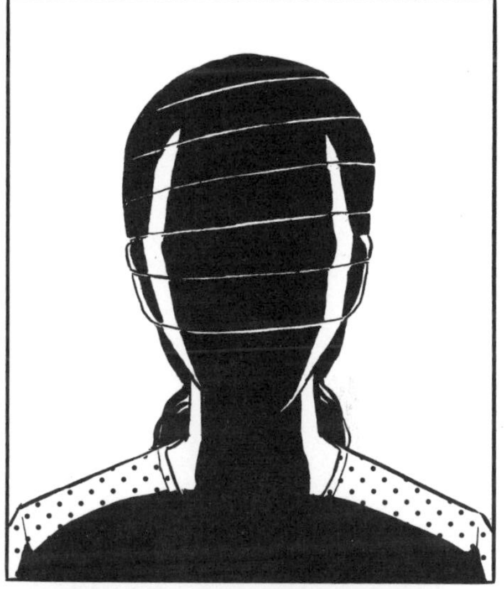

휘이
잉

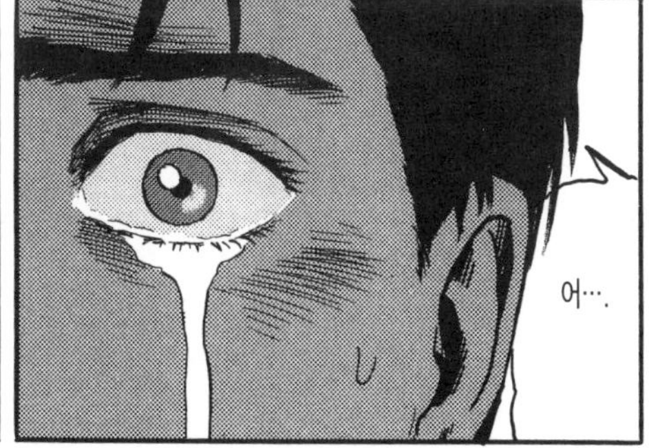
어….

신이치!

ENTR

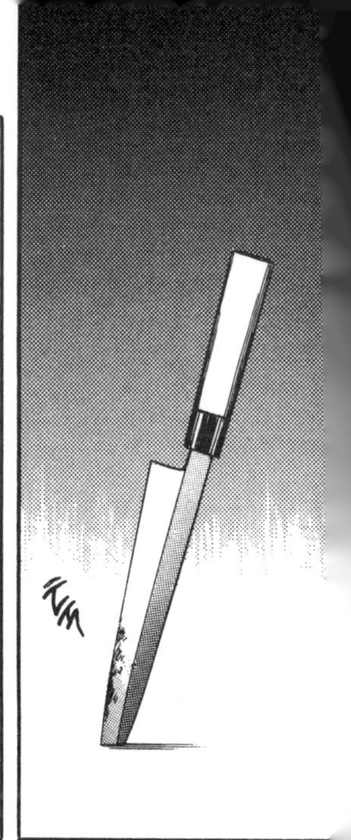

심장을 관통했다.
인간부분은
즉사다.

그리고
너도 이제
기껏
몇 분….
머리를
뺏지 못한 자의
운명으로 알고
단념해라.

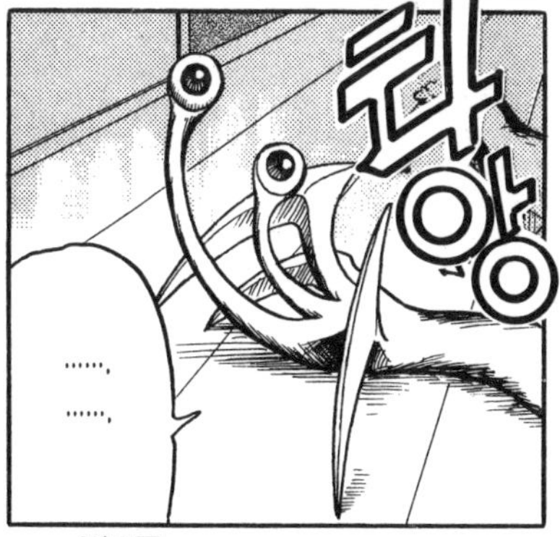
콰앙
……,
……,

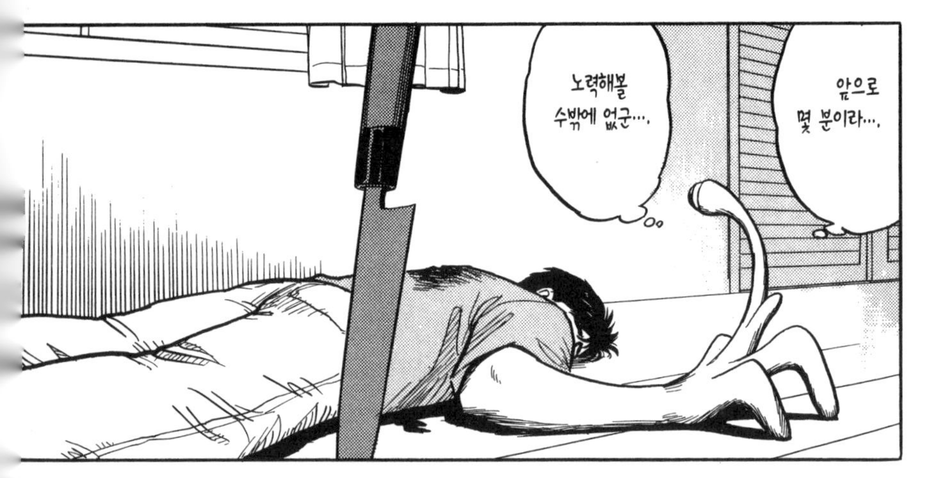
앞으로
몇 분이라…,
노력해볼
수밖에 없군…,

심장에 직격…,
도저히 몇 분안에
복구하는 건 불가능해…,
그렇다고 이대로 두면
우선 신이치의 뇌가
손상되고…,
…그렇다면

내가 심장이
되는 수밖에!

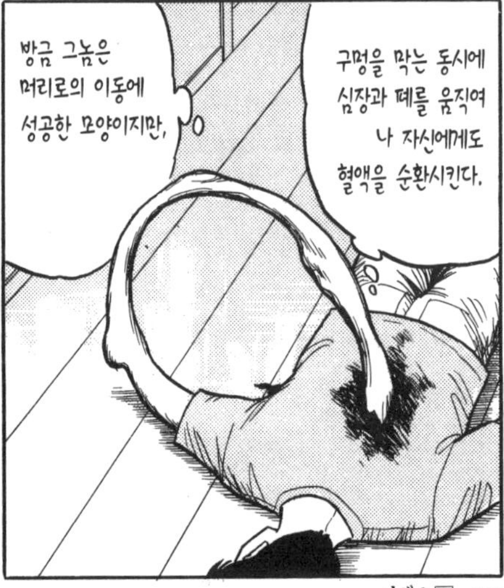
구멍을 막는 동시에
심장과 폐를 움직여
나 자신에게도
혈액을 순환시킨다.
방금 그놈은
머리로의 이동에
성공한 모양이지만,

내 경우는
그 이상의
모험일 거야.

두근.

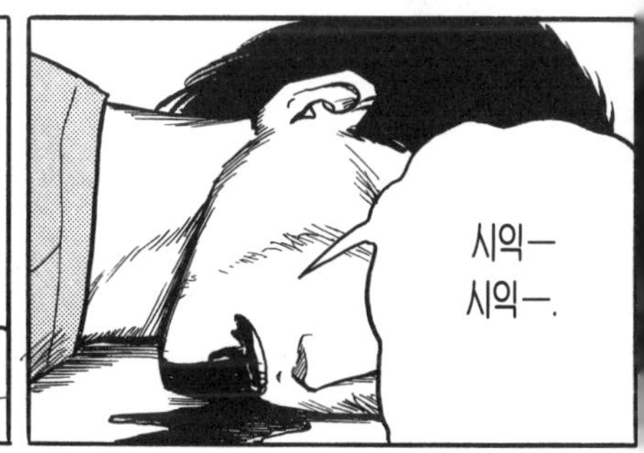
시익—
시익—.

쿨럭 쿨럭….

좋아…, 그럭저럭 될 것 같다.
하지만 자연치유는 도저히 기대할 수 없겠군.
두근
두근

전신에서 세포조직을 조금씩 모아 상처를 복구, 보강하자.

나는 거기에 맞춰… 조금씩… 혈관을 따라 오른손으로 돌아간다.

오늘도
결석인가…?

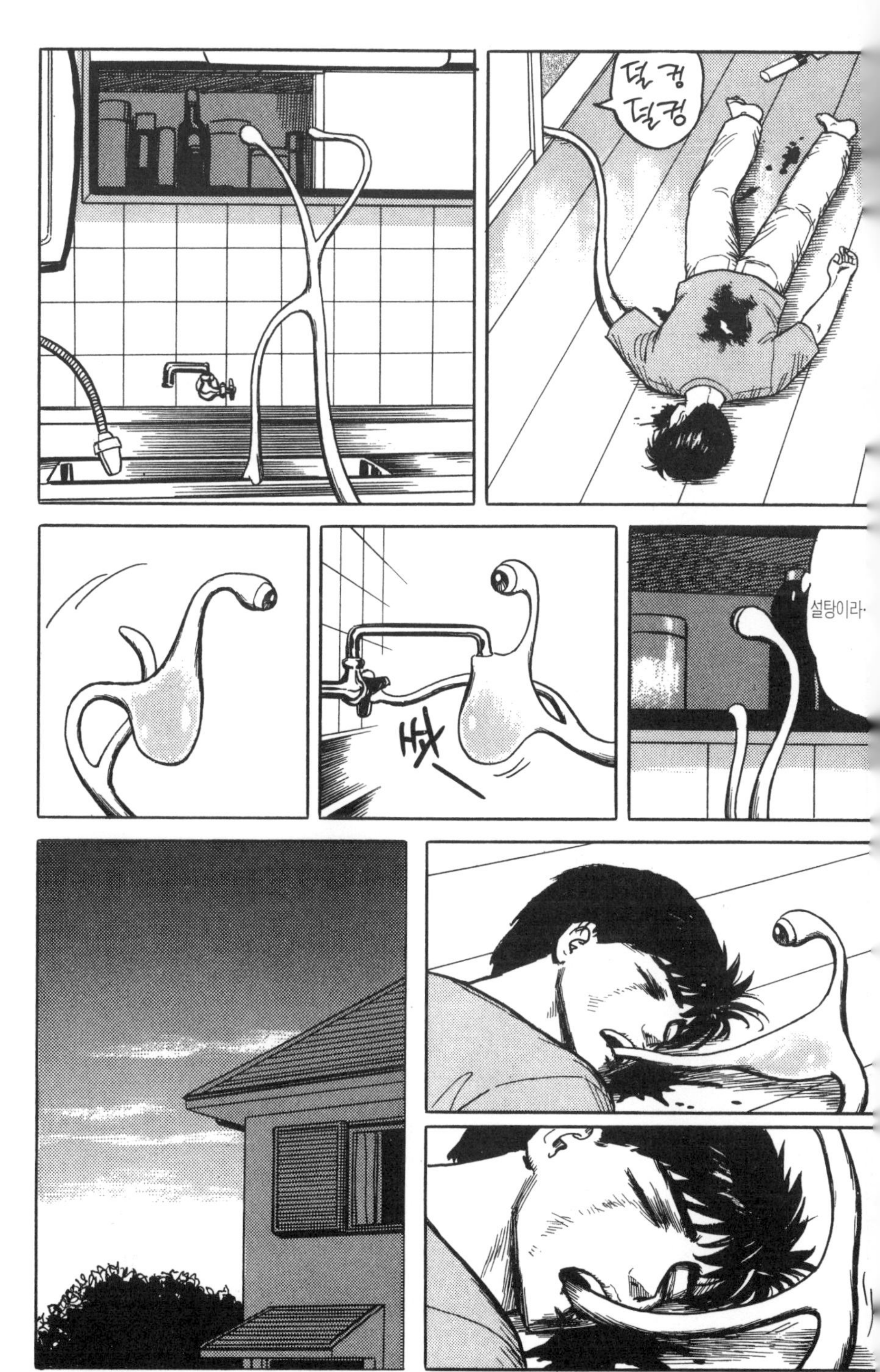
덜컹
덜컹
설탕이라·

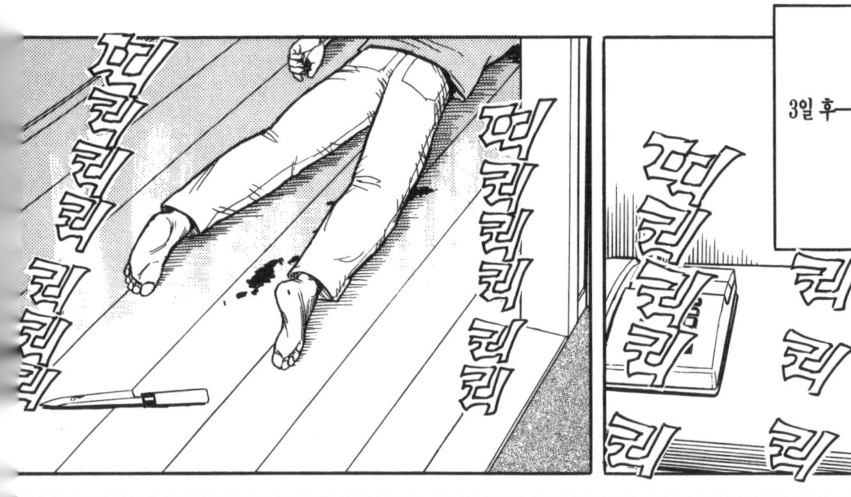
3일 후—.
떠러러러러
러러러
떠러러러러러
떠러러러
러러러

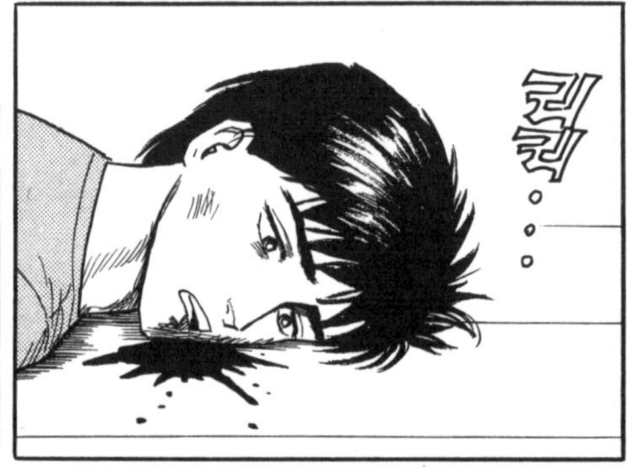
러러...

응….
주욱

헉헉.

팍
벌컥
벌컥
벌컥

우엑!

허억.
허억.

…….
…….

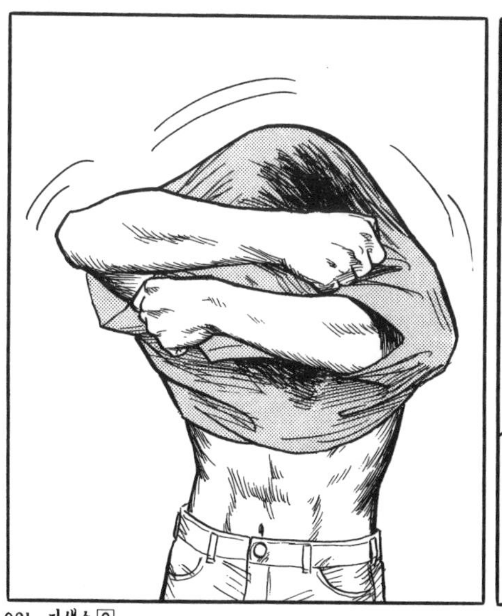

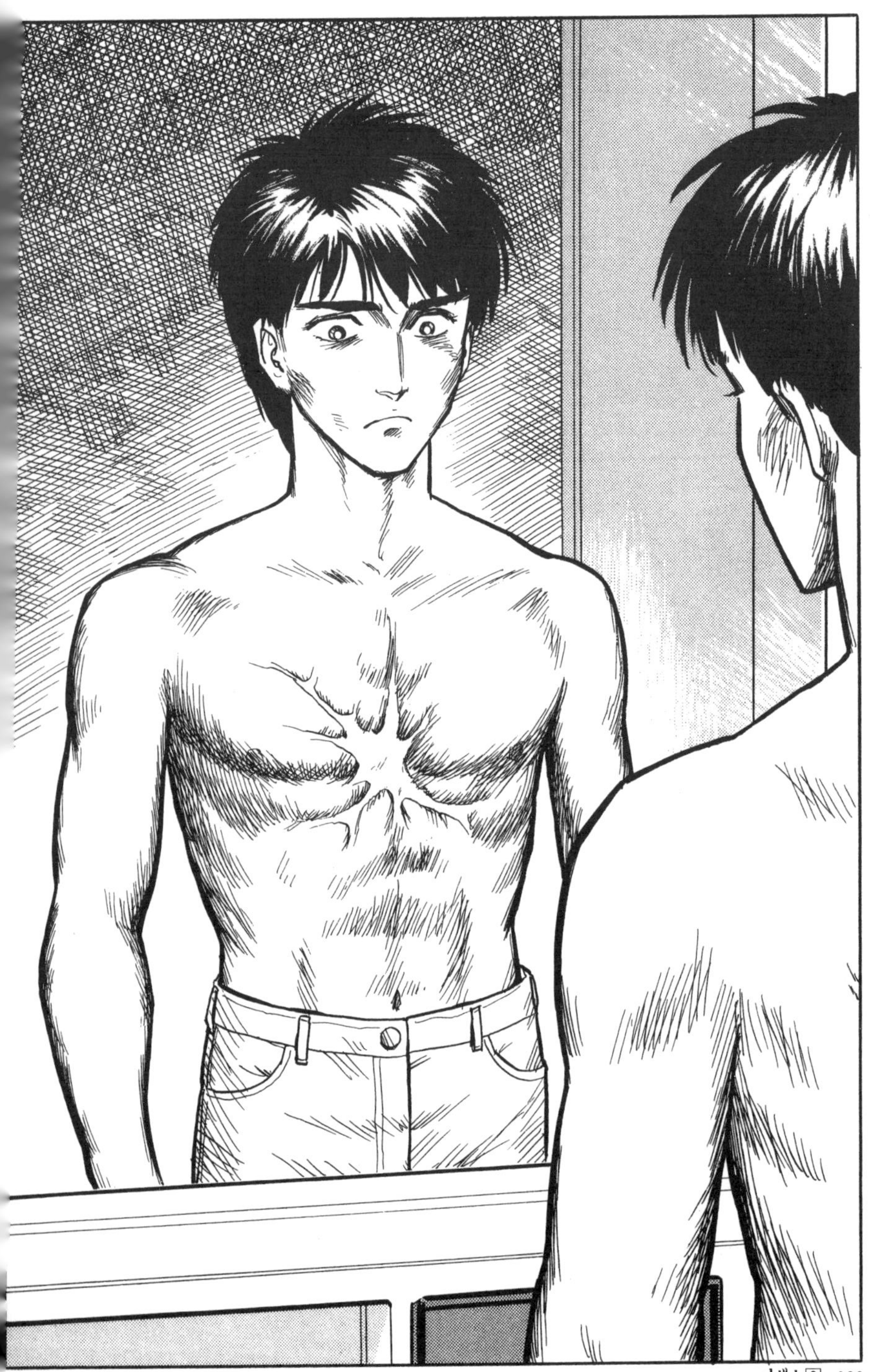

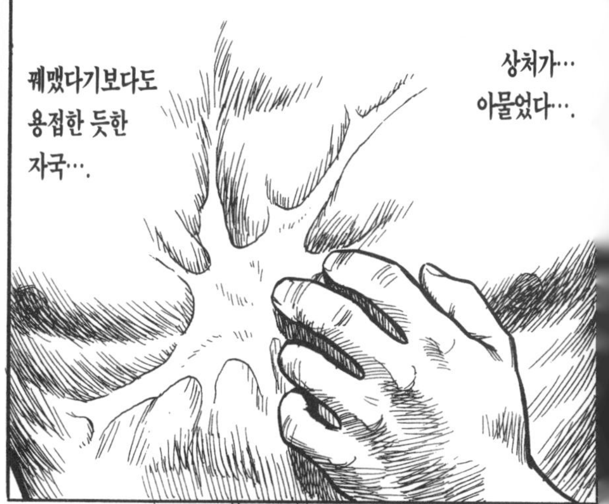
상처가…
아물었다….
꿰맸다기보다도
용접한 듯한
자국….

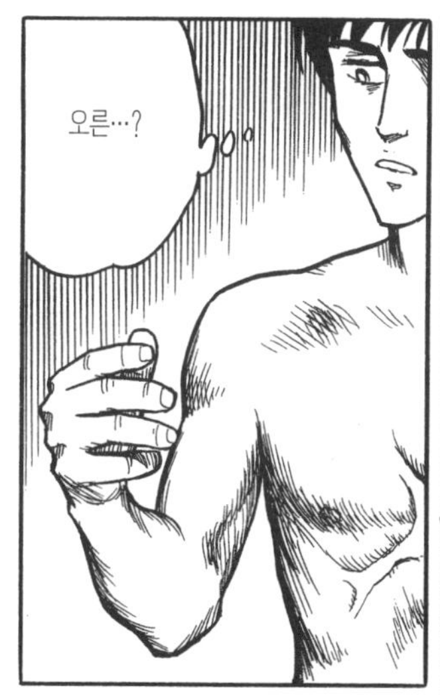
오른…?

오른쪽이가
치료를….

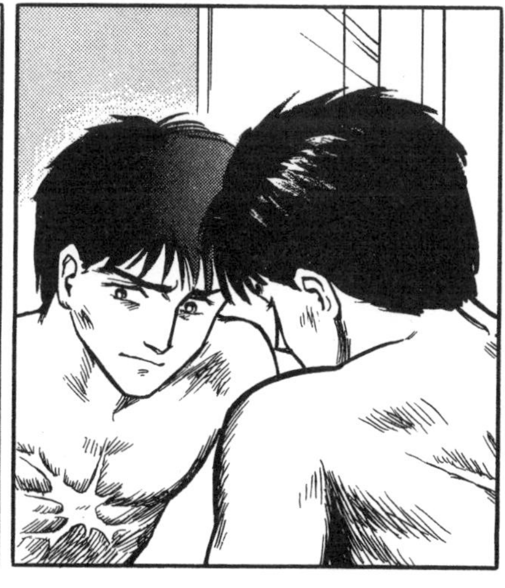

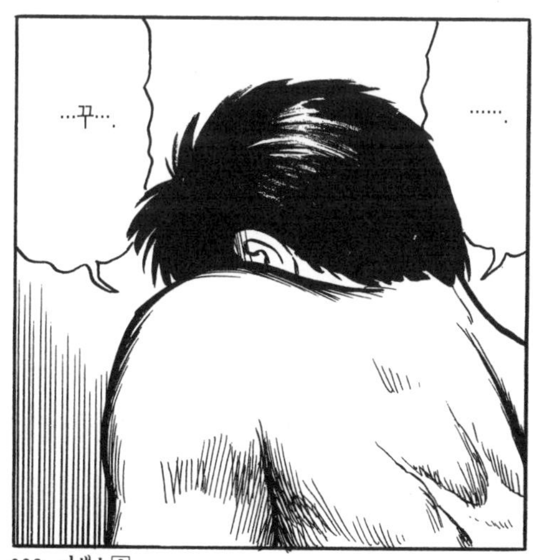
…….
…꾸….

꿈이…

아니었나…

띠리리리리
띠리리리

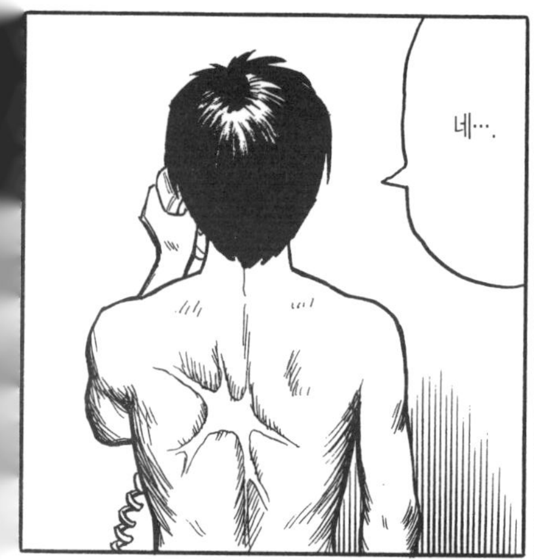
네….

어머나, 이제 연결됐군요.
이즈미 카즈유키 씨 아들 되시나요?

네…!

네? 아아. 괜찮으세요. 지금은 주무시지만 생명에 지장은 없습니다.

그러니까 내려오실때 갈아입을 옷이랑…. 네네….

시즈오카 현
이즈입니다만…?

그 병원은…
어디…
어디쯤입니까!

저…
곧 가겠습니다.

…그곳으로 돌아가
다시 한 번 확인할
필요가 있겠군.

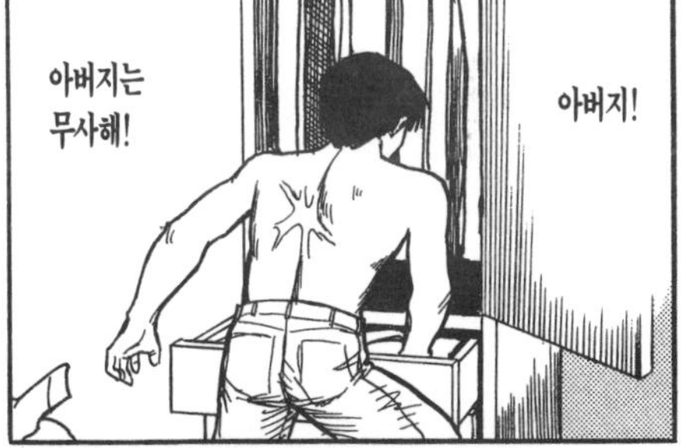
아버지는
무사해!
아버지!

벌컥

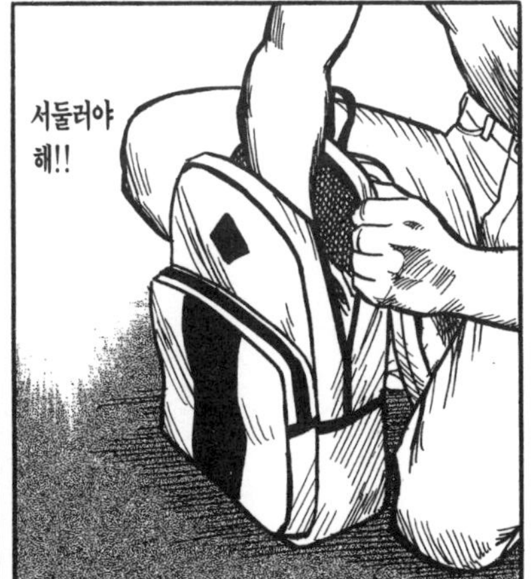
서둘러야
해!!

泉

신이치….

부모님은
여행 중이시라고
했었고.
저… 저기 신이치가
요 며칠 학교에…
안 나와서.

신이치가 집에서
혼자 아파
누워 있나 싶어서….

그럼…
어머니 혼자
힘드시겠구나.

아버지가
여행지에서
다치셨나봐….
뭐?!

…….

깜
짝

신…

난 당분간…
학교 못 나가….

신이치….

신이치이!!

다…
다시…
돌아올
거지…?

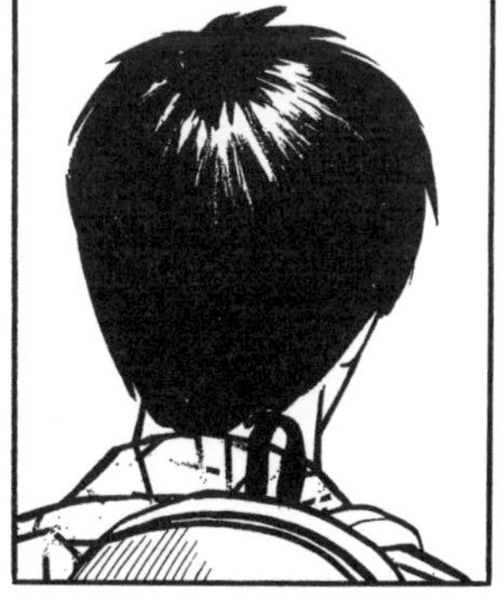

그놈을….

이즈의
사카라자키라….
미시마에서
버스로….

아니,
누마즈에서
페리를 타는 게
빠르겠군요!
그럼
누마즈까지 한 장.

JR
沼津駅
NUNAZU STATION
항구로 가시게요?
저 버스를 타면 됩니다.

—제13화— 나오지 않는 눈물

IZU-
!

으엑,
저 인간이
왜 여기
있지?

큰일났다~!

그 남자는
돌아오지
않았나?

그 놈은…
아버지에게
정체를 보인데다
놓치기까지 했어.
그러니까
주소까지 조사해
찾아온 거야….

빨리…
빨리!

우리집 주소를
어떻게 알았을까?
집? 아니면
여관에서…?
얼마 안 있어
병원에도
찾아올 게
틀림없어.

에이.
이쪽 자리는
해가 비치는군요.

푸쉬

슥

후….
으엑.

커플인 척해서
눈속임하는 거야.

죄송합니다.
앉아도 될까요?

너, 사쿠라자키에
사니?
네?
네에….

무슨 일이 있나…?
왠지 아주
슬퍼 보이네.

아, 네.
잘 알아요.

그럼
사쿠라자키
병원이
어딘지 알아?

너 혹시
우리학교 학생
아냐…?

네?
아, 아니예요.

!

아, 저…
죄송하지만.

어떡해~?

저 실은 오늘 수업 빼먹고
누마즈에 뭐 사러 갔었거든요.
저 사람들,
우리학교 선생님이에요!
걸리면
뺏길 거예요!

이것 좀 맡아 주실래요?
그 가방 속에….
?

역시
마키코였군.

제발 부탁해요!

그러지, 뭐….
…….

왜 여기 있지?
오늘은 학교 쉬는 날이
아닌데.

아… 헤헤,
서,
선생님은요?

나는 일하는
중이다!

어디
가방 속 좀 보자.
아, 안 돼요~.

교복이 들었군.
등교하던 중에
옷을 갈아입고….
집에서도
모른다 이거지?

그쪽
학생은?

아, 이 사람은
아무 상관
없어요!
시끄러워!

……

자네… 못 보던
얼굴이군.
고등학생인가?

……

나는 사쿠라자키 중학교 생활지도 담당, 테라이라고 하는데.
자넨 마키코와 어떻게 아는 사인가?
그냥요.

철
싹
꺄악!

외부인한테 이러쿵저러쿵 하진 않겠네만, 우리 학생에게 수작을 부릴 생각은 말아 주게.

선생님은!
그게 아니라고
말씀 드렸잖아요!

알겠나!
넌 겨우 중학생이야!
그런데 학교를 빼먹고
남자와 연애질이라니,
말이 돼?!

…되게
꽥꽥거리네….

뭐라고?

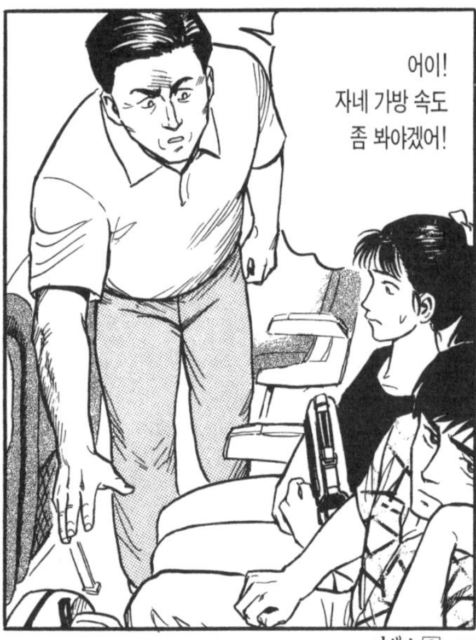
어이!
자네 가방 속도
좀 봐야겠어!

무슨
짓이야!!

사쿠라자키
항구.

어쩐 일이십니까? 테라이 선생님 답지 않게.
아무리 험악한 불량배한테도 지신 적이 없는데….

저 녀석의 눈… 못 보셨소?
예?

나를…
정말로 죽이려고….

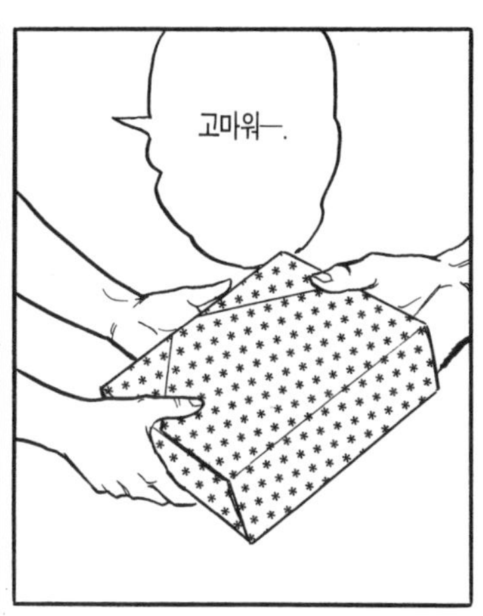
고마워—.

아깐 정말 박력 있었어!
그 테라이 선생을 찍소리 못하게 하고.

별로 싸움 잘하게도 안 생겼는데.

…….

아아, 이쪽이야!

사쿠라자키 병원에 가지?
우리집 바로 근처거든.

← 下 田 33
長沢青果

들어오십쇼.

경찰에서
왔습니다만….
괜찮으십니까?
이즈미 씨….

선생께서
마지막에 묵었던
여관에 다녀왔습니다.
그리고 선생이
추락했다는
절벽 주위도
돌아봤고요.

18일 오전이었죠?
부인께서
살해당했다는
때가….
예.

그래서 어떻게
됐습니까!

…….

그리고 선생은
그 직후 범인…
아니, 정체불명의
「무언가」에 공격당해
절벽에서 바다로 추락—.

그리고
북쪽 해안으로
떠내려와—.
정신이 들었을 때는
이미 밤이었고
구급차에 실려
이 병원에 도착한 것이
19일 새벽….

틀림 없죠?
예….

19일 새벽이
확실합니다.

그런데 아내는…
아내의 시체는
발견됐습니까?

이즈미 씨.
부인은
살아 있습니다.

예…?!

여관 주인의
말로는….

19일,
즉 선생이 바다에 추락한 날 밤,
부인은 혼자서
그 여관에
숙박했습니다.
그럴 리 없소!

예… 그날 아침 그 부부는
출발 준비를 하고 나서
산책을 하고 온다며…
예에.

그런데 짐은 그냥 둔 채
점심 때가 되도록
돌아오질 않길래
제가 찾으러 나섰죠.
좀 가자니까
저쪽에서 아주머니가
혼자 걸어오더군요….

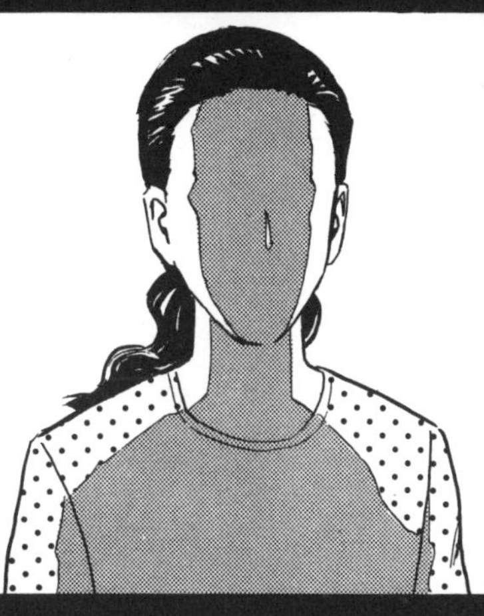
저를 본 체 만 체
지나치려 하길래
불러 세웠습니다.

남편은 급한 일이 생겨
먼저 돌아갔고,
자기는 하룻밤
더 묵고 가겠다—.
그렇게 말하더군요.

그런데…

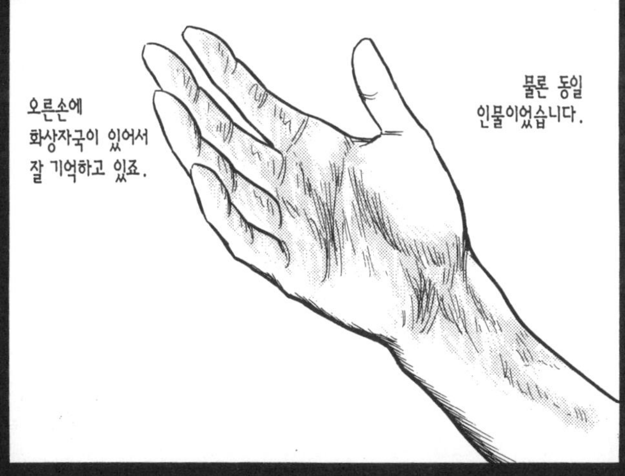
오른손에
화상자국이 있어서
잘 기억하고 있죠.
물론 동일
인물이었습니다.

저는 두 분이
싸우고
헤어진 줄만
알았죠.

아니야…
그럴 리가 없어….
그놈은 가짜요!
…….

이즈미 씨….
당신은 아마도 정신적 쇼크 때문에
추락 전의 「현실」과
추락 후에 꾼 「악몽」을 혼동해,
시간적인 기억도 거꾸로
되어버린 것 같습니다.

그건
꿈이 아니오.
절대 꿈이
아닙니다!

이즈미 씨는
생명보험에
가입
하셨더군요.
요즘
부부 사이에
트러블
같은 것은
없었습니까?

…무슨
말입니까?

설마
아내가 나를
떠밀기라도
했단 말이오?

桜崎病院
여기야.

고마워.

아, 저기!

오늘 어디서 잘 거야?

?
병원에서 자려고 하는데.

그래….

왜…?

아냐.
잘 가.

아버지
목소리다!
이제 나가주시오!
아버지!
아버지!!

아버….

신이치!

아… 어…

걱정시켜
미안하구나….

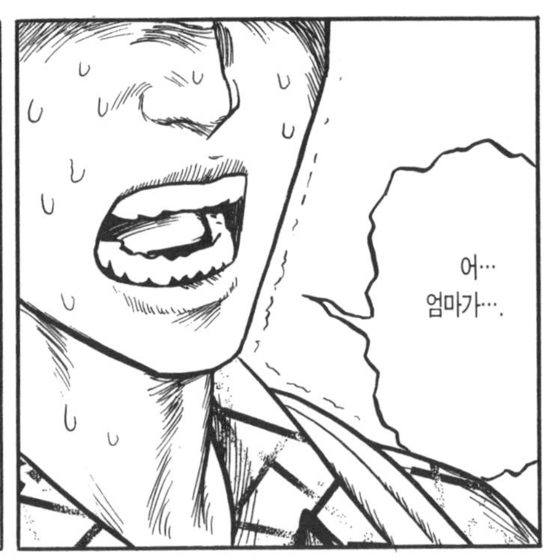
어…
엄마가….

이렇게 괴로운데….
말도 안 나올 만큼
슬픈데도…
웬일인지 눈물은
한 방울도
나오지 않았다.

괜찮니…?
괜찮으냐?

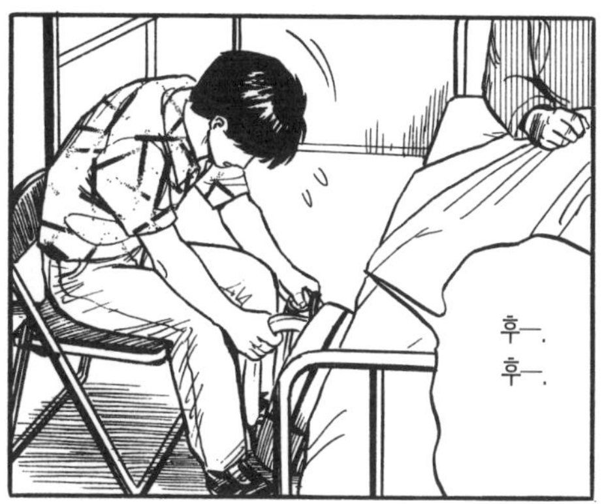
후—.
후—.

…….

아버지….

…….

신이치… 엄마가 말이다….
무슨 사고에 휘말렸는지 행방을 모르겠구나….

뭐?!

아아, 그거….
나쁜 꿈을
꾼 모양이야….
머리를 다쳐서.
뭐… 라니….

아버지….
봐…
봤잖아요?
…뭘?

나는 1주일쯤
입원할 것
같은데,
별건 아니야.
네 엄마 일은
경찰에
맡겼다.

아니야!
꿈…?!

「무슨 일이
있었니?」
정도가 아녜요!!

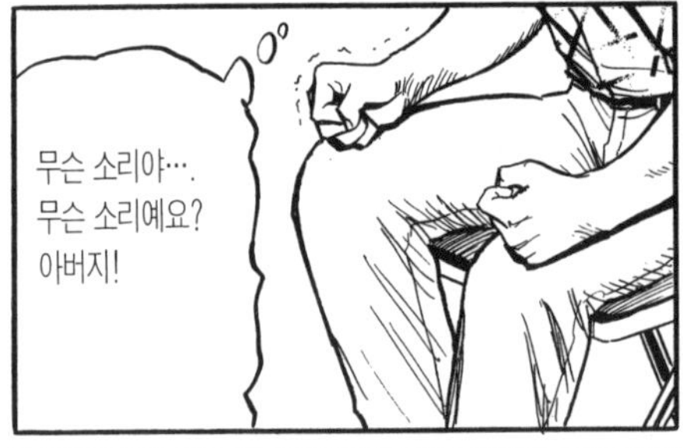
무슨 소리야….
무슨 소리예요?
아버지!

신이치….
집에서
무슨 일이
있었니?

괴물한테!!
엄마가
살해당했다구요!!

그런 말도
안 되는 소리
했었니?
…전화로
아버지가…

정말… 정말로
꿈이라고
생각하시는
건가?!

뭐….
미안하다!
정말 미안해!
내 실수였다!

아버지.
힘들겠지만 조금만 더 혼자 지내거라. 무슨 일이 있거든 치바의 작은아버지한테 연락하고.

신이치… 아버지는 이제 괜찮으니까 넌 한 2, 3일 쉬다가 집에 가 봐라.

부탁이다, 신이치…. 지금 그 말은….

신이치!!
엄마랑… 그 괴물….
할 말이 있어요.

역시 알고 계신 거야…. 엄마가 죽었다는 걸….
울고 있어….

아버지….

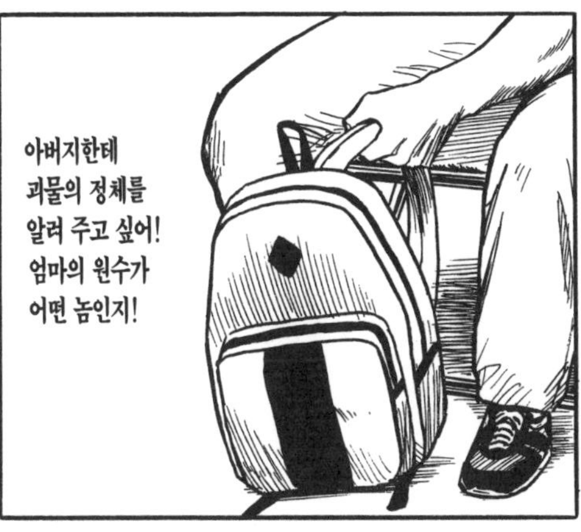
아버지한테
괴물의 정체를
알려 주고 싶어!
엄마의 원수가
어떤 놈인지!

거짓말 안 해도
돼요….
내가 아무것도
모르는 줄
알아요?

갈아입을 옷
가져왔어요.
숙소는 어쩔 거냐?
돈은 얼마나
가져왔니?

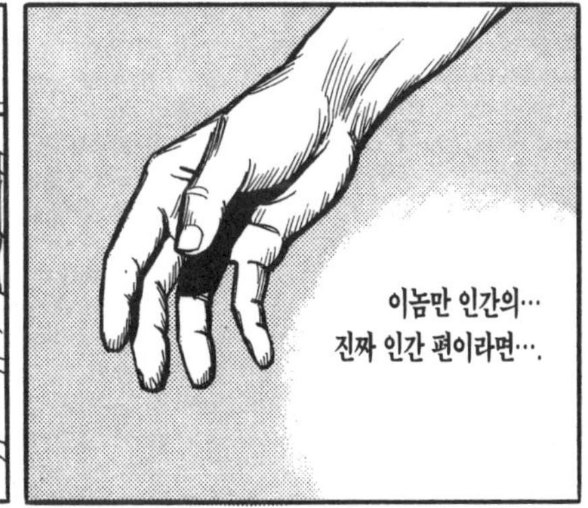
이놈만 인간의…
진짜 인간 편이라면….

해변에 호텔이
있는 모양이니
거기서 묵어라.
아직 휴가철이 아니니
전화하면
빈 방이 있을 거야….

하지만 병원에서는
푹 쉴 수가 없어.
목욕도 해야 하고….

병실에서
잘 거예요.

지금이라면!
기생생물의
정체를
밝힐 수
있을지 몰라.

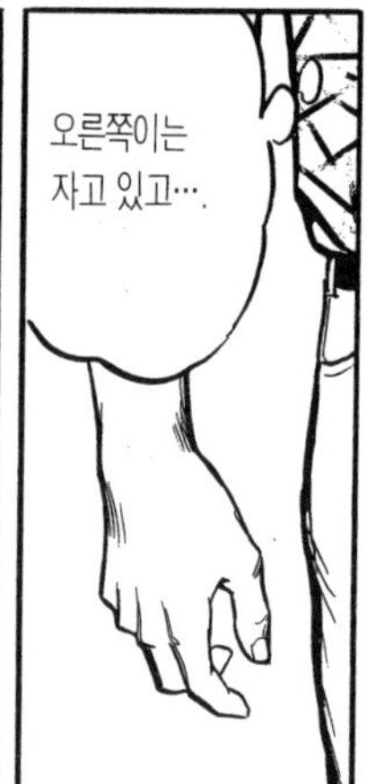
오른쪽이는
자고 있고….

병원이라….
가만!

결국 이놈의 힘에
의존할 수밖에
없나!
한심하군!

싸우는 데에도
이놈의 힘이
없으면….
아냐…
지금은 안 돼!
닥쳐올 적을
발견하는
데에도…

적이 병원에
나타났을 때는
늦어!
300미터라면
오른쪽이가
적을 겨우
탐지할 수 있는
거리다.

안 멀어요.
겨우 300미터
정도인데….
예에?
사쿠라자키 호텔이
그렇게 멀어요?!

좋아!
병원에서
반경 100미터
안에서 찾자.

여관
신

네에?
혼자신가요?

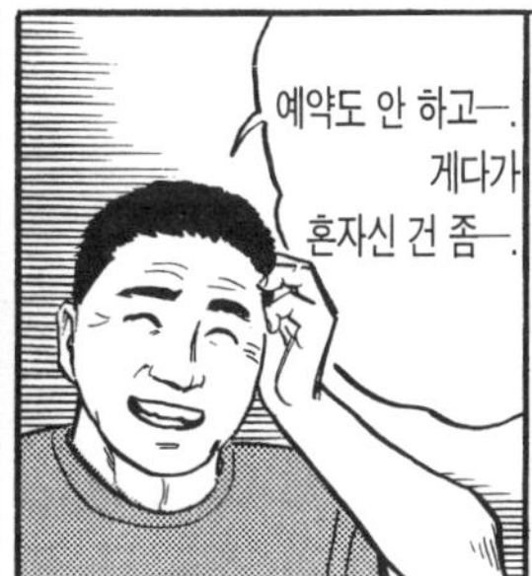
예약도 안 하고―.
게다가
혼자신 건 좀―.

죄송하지만
방이….

밤이 돼버렸네….
역시 병원으로
돌아가야 하나.

병원 바로 뒤라….
여기 묵을 수 있으면
좋겠는데….
민박 가로수

혼자 시라고요?
음—. 방이 없는 건 아니지만….

틀림없어! 척보면 안다구. 분명히 가출한 애야!

고등학생 같은데 …학교는 안 가니?

아… 저기…. 저 병원에 아버지가 입원하고 계셔서요….

정말?
정말이야!

마키코!
그치?
제13화 —끝—

—제14화— 동 족

아버진 엄마가
죽는 것을
봤을 거야.

그래도
잠자코
있는 것은…
도저히 믿기 힘든 광경을
아들인 내게
어떻게 설명해야 할지
아득하기 때문이리라.

그에 관해서는
언젠가 내가 먼저
아버지에게
털어놓아야 한다….
하지만 지금은 우선
아버지를
보호하는 것과…

엄마의
원수를!

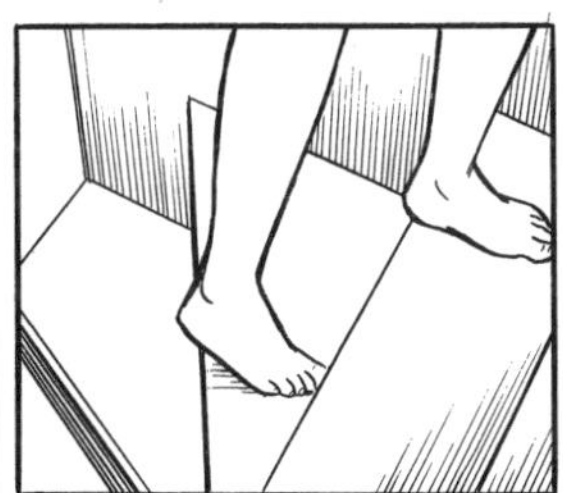

인기척이 잘 들리네….
벽이 얇은 건가,
아니면 귀가 밝아졌나?
…그래.

저기,
아래층에
식사준비
됐는데—.

잘 먹었습니다.
네—.

어머…
심각한 얼굴치고
밥은 잘 먹네?

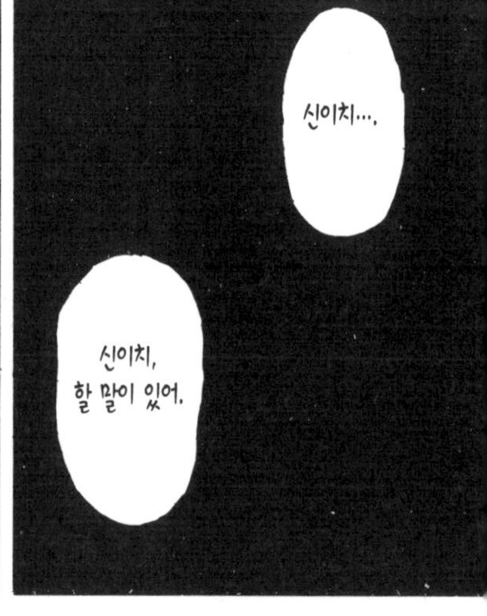
신이치….
신이치,
할 말이 있어.

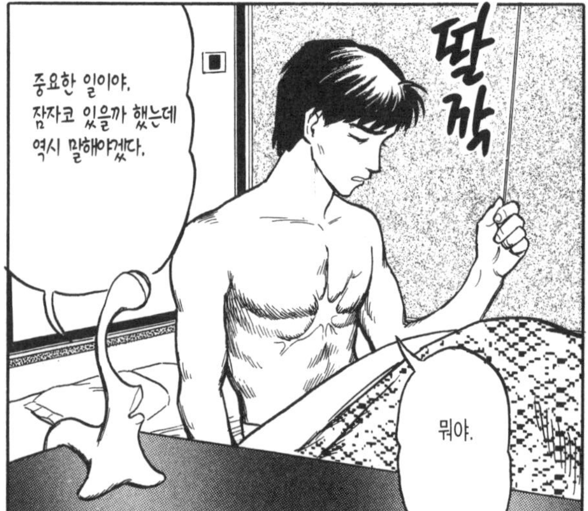
딸깍
뭐야.
중요한 일이야.
잠자코 있을까 했는데
역시 말해야겠다.

신이치….
네가 가족을 생각하는 마음은
아주 강해.
그에 비해 나를 가벼이…
아니, 귀찮은 존재로
본다는 것도 알아.

우리는 한편인 동시에
종이 다른 적이라고
할 수 있을지도
모르지.

……
본론이 뭐야?

…그날, 파괴된 네 몸을 복구하는 과정에서 내 몸에도 변화가 일어났다.
변화?

약점이지.
다른 「기생동족」한테는 없는 약점이 내게 생긴 거다.

……

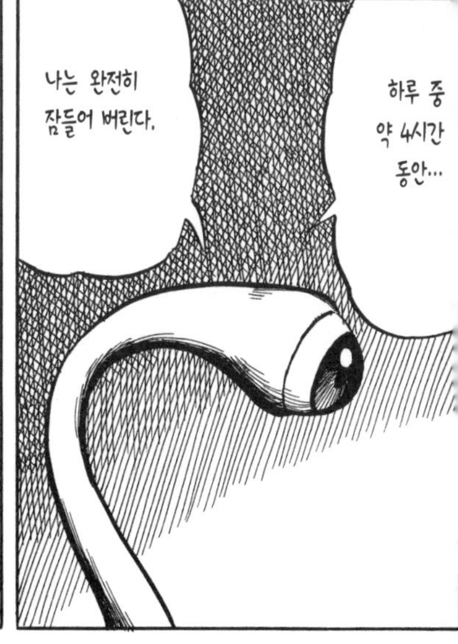
하루 중 약 4시간 동안…
나는 완전히 잠들어 버린다.

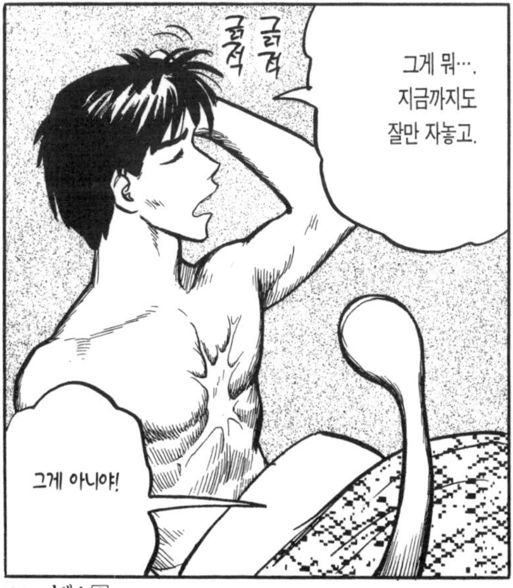
긁적 긁적
그게 뭐…. 지금까지도 잘만 자놓고.
그게 아니야!

지금까지는 자고 있어도
약간의 자극이면 눈이 떠졌다.
신이치가 놀라거나
호흡이 거칠어지거나
하는 정도로도.

또는 「동족」이
300미터 안에
나타났을 때도.

「동족」이…!

그래…
하지만 이번 잠은
그런 안테나마저
잠들게 돼.
즉, 이 네 시간 사이에
적이 나타나면 끝장이야.

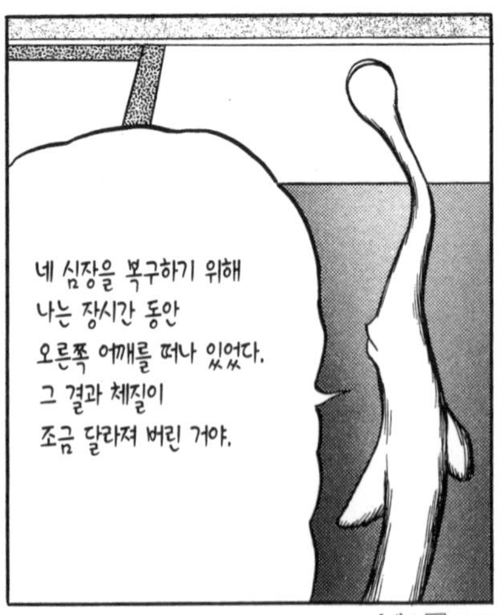
네 심장을 복구하기 위해
나는 장시간 동안
오른쪽 어깨를 떠나 있었다.
그 결과 체질이
조금 달라져 버린 거야.

그럼 이곳에
도착하고
한동안은….

왜 진작
말 안 했어!

너는 어머니가 살해당해…
기생생물의 「동족」인 내게
강한 적의를 갖게
된 듯하다….

나도 내 약점을
네게 밝히는 것은
지극히
위험한 짓이라고
생각한다.
그래서
지금까지
망설인 거야.

하지만 네게
알려 두지 않으면…
더 위험할 거라고 판단했다.

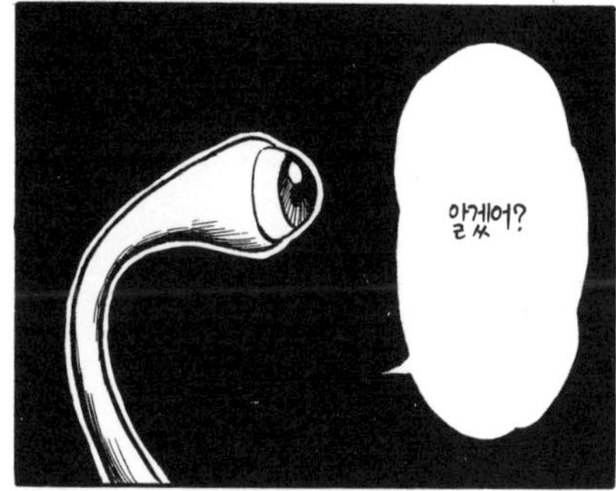
알겠어?

…….

ENTREAT

나는 이제…
너를 적으로
생각하지 않아….

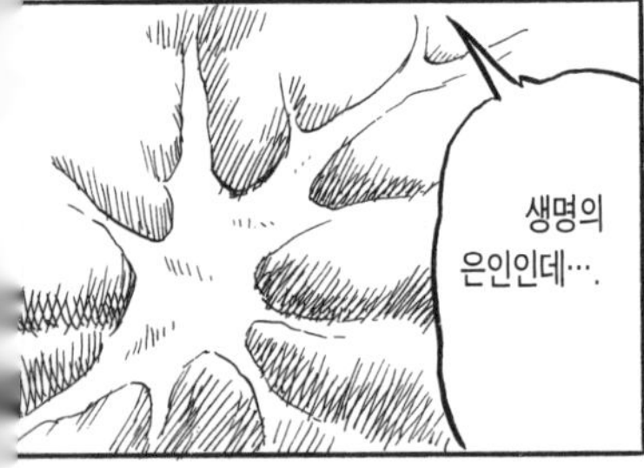
생명의
은인인데….

…….
Oo

아, 잘 잤어?
쏴-

……,

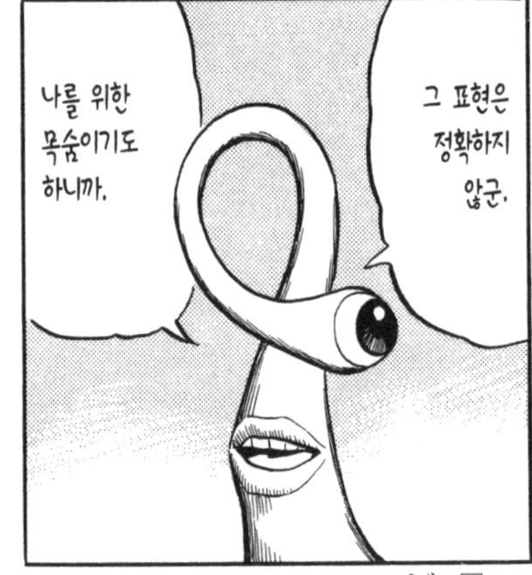
그 표현은
정확하지
않군.
나를 위한
목숨이기도
하니까.

어?
오늘은 얼굴색이
좋네?

어젠 훨씬
수척해 보였는데.

간밤에
잘 잤나봐!

…잘 먹어서
그런가?

桜崎病院

여어.

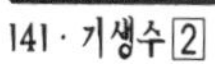

나는 이곳에서
이틀을 보낸 다음
아버지의 말대로
일단 집에
돌아가기로
돼 있다.

잘 잤니?
네….

아니면
그놈이…
모습을
드러낼
때까지!

하지만
그럴 순 없다….
아버지가 퇴원할
때까지는….

여기 바다가
참 좋더구나.
해변이 아직은
한산한 모양이던데
수영이라도
하지그러냐?

신이치.

예….

…….

오른쪽이가
잠자는 동안엔
내가 이 눈으로
망을 봐야 한다
그래서 가급적
사람이 많고,
습격 가능성이
적은 낮시간에
오른쪽이를
재우기로 했다.

…….

어머?
저 학생이….

…….
술 술

그렇군요.

그래… 며칠이나 묵을 작정이에요?
아버지가 퇴원하실 때까지… 있으려고요.

아아, 딱히 그것 때문은 아니고….
호호호호 호호….

아…, 돈은 모자라지 않을 겁니다…

…신이치 오빠, 있어?
그래….

다녀왔습니다.
후아— 더워라아—.

…가만, 가만, 마키코!
왜? 그 학생한테 볼일 있니?

얘가~
대체~!

아니…별일은
없지만….

그 사람은 손님이야!
네 친구가 아니라구.
알겠니?
알아.

왜?

널 보고 있으면
엄마는
걱정돼 죽겠구나.

저….

왜라니!
아무튼 저런
정체도 모를….

며… 몇 미터
라기보다 저…
한 5분쯤 되나?

아, 아아!
바다요?
바다라….
여기서
바다까지
몇 미터나
됩니까?

…….
…….

역시
관두자….

5분….

음—.
그래요,
좀 이상하잖아요?

온종일
병원 앞에만
있는다고…?

…?
와구
와구

알았다!
거기 입원한
아버지란 작자가
딴 의미의
아버지인 게야!

즉, 입원해 있는 건
야쿠자의 두목이라 이거야!
조직간에 싸움이 나서
큰 부상을 입고
여기서 요양을 하는
중인데….
안 그래?
혹시나 싶어
조직의 젊은 부하가
망을 보고 있는 게지.

세상에,
그게 무슨 소리예요?!
할아버지도
참~!
그럼 지금
묵고 있는 청년이
야쿠자의
조직원이라구요?!

할아버지,
노망 드셨나봐.
당연하죠―!!
뭐가 어째!!

그렇게까지는
안 보여요!

어라?
누나….

그렇게 얌전하고
착해 보이는 사람이
야쿠자일 리 없어.
무슨 사정이
있는 것
같긴 하지만…

부시럭
이 마을로
들어오는 길은
남북으로 하나씩….
나머지는 배라….

야쿠자한테
반했나봐.
으이이이익!
SAUSY

그놈이 온다면
어느 쪽일까…?

신이치,
졸려.
너무 졸려.
당장 병원으로
가라.

갑자기 왜 그래?
못참겠나?
그래….
깊은 계곡으로
떨어지는 것
같아.

어제하고는
다른 시각인데?

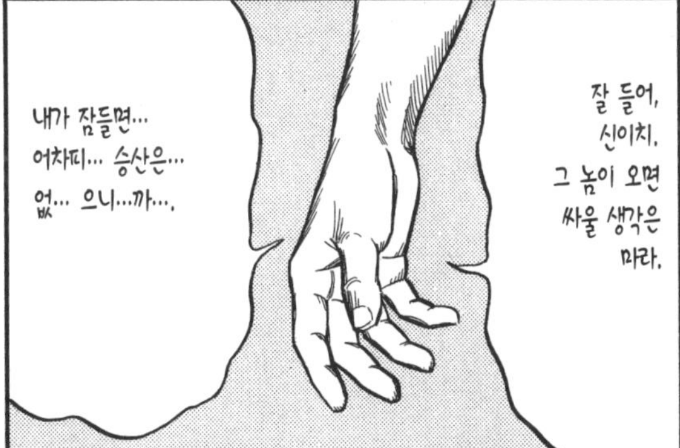
잘 들어,
신이치.
그 놈이 오면
싸울 생각은
마라.
내가 잠들면…
어차피… 승산은…
없… 으니…까….

알았다, 알았어!
떠들면 되지?
시선을 끌도록!

잠들었네….

덥다….

안은 시원하겠지만
사람이 많아서
체크하기 힘들겠지.

여기서 뒷문도
살펴봐야 하니까….

안녕―.

안녕… 아,
마키코.
마키라고
불러도 돼.

온종일 여기 있다며? …아버지가 많이 걱정되나 봐.
응… 달리 할 일도 없고.

흠―.

요전에 맡아 줬던 꾸러미 있지?
응?

그때 배 안에서.
아아.

학교 선배의 …생일 선물이야.
아아… 그랬어?

굉장히 인기 많거든, …그 선배.

…….

신이치 오빠는
여자 친구….
홱

이제 됐어,
신이치.
그래?

그럼 가볼까.
어?

더워서
더 못 있겠어.

더우면 수영해.
기껏 여기까지
왔는데!

…….

푸훗.

남자가 이렇게
허여멀게 갖고
어디….
해변에서
살도 좀 태우고.

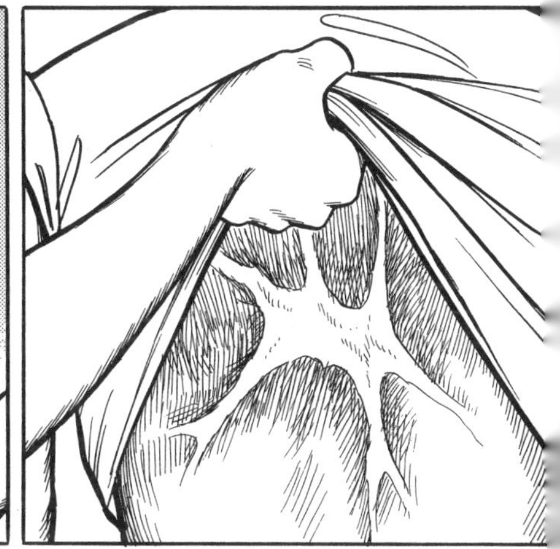

…….

찰싹
?!

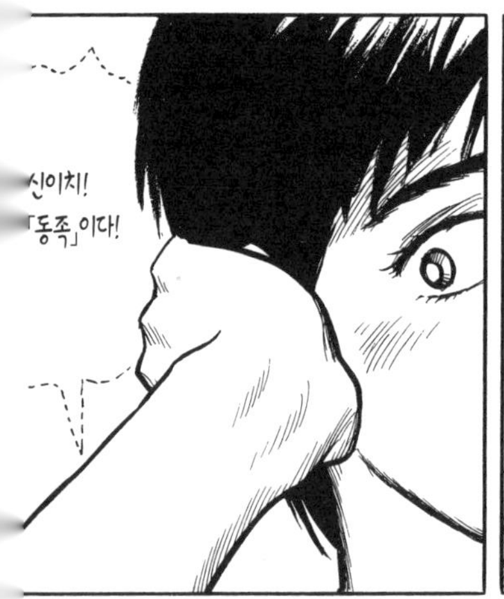
신이치!
「동족」이다!

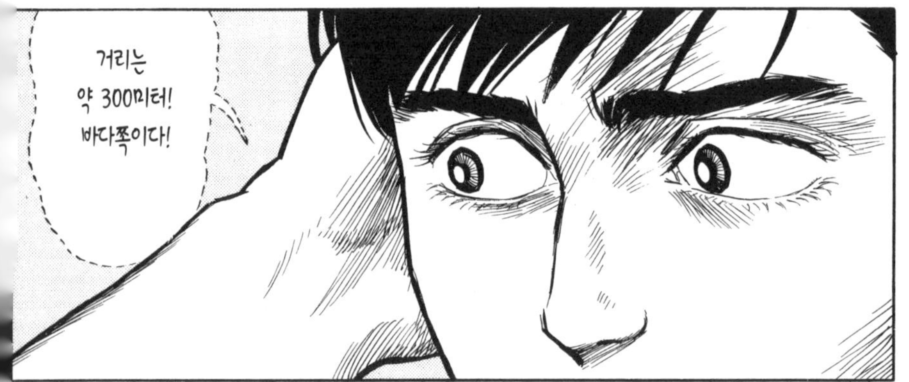
거리는
약 300미터!
바다쪽이다!

기어이…
왔군!

!
마키!

해, 해변으로
가는 길은?!

화났어?
아니, 뭐….
그렇게 억지로
갈 것까진
없는데….

이길로 쭉….

잠깐만!

곧장 가면
방파제가 있으니까
좀 앞에서
왼쪽으로….

에잇!

ふる里
잠깐만~.
기다려~.

헉
헉
우아….
뭐 저렇게
빠르지!!

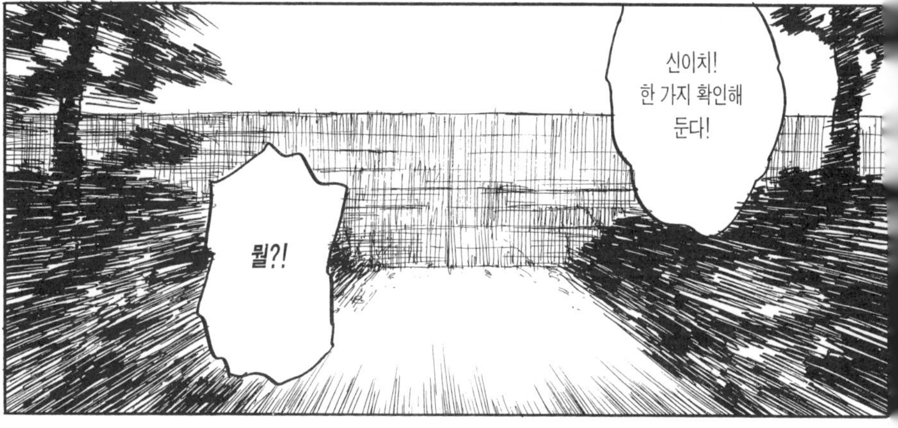
신이치!
한 가지 확인해
둔다!
뭘?!

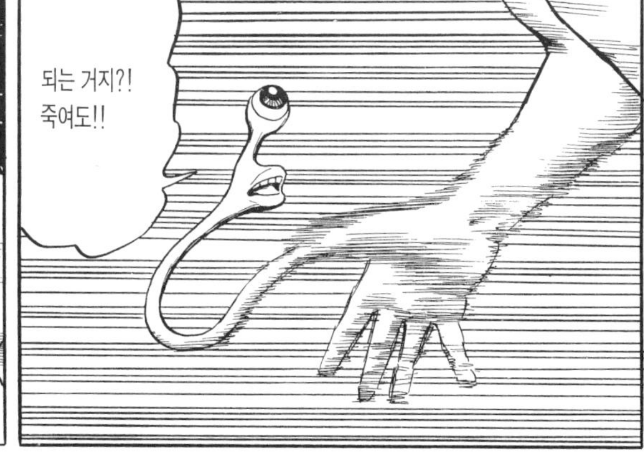
되는 거지?!
죽여도!!

!!

촤아악

…….

괜찮아!

그런 놈이 이 세상을
어슬렁거리고
다닐 생각을 하니…
못 견디겠어!!

헉!
헉!

그, 그것 봐! 이거 보라구.
막다른 길이잖아.

그러니까 저쪽으로 돌아가야….

턱

세… 세상에!

찰싹

!

방금 저쪽에서 뭔가가 숨었어….

그 놈인가?

신이치! 실은 또 하나 해둘 말이 있다. 너 자신에 관해서야. …이제야 확실히 알았는데….
나중에 하자!

놓칠 줄 알고!
잘도 엄마를!!

꼼짝 마!
!!

아…
아니잖아…!!

…….
…….
척

자… 잠깐
기다려!

하지만 어차피
이놈도
사람 잡아먹는
괴물이지?
오른쪽아!

…그 놈이
아니야.

뭐야…?!

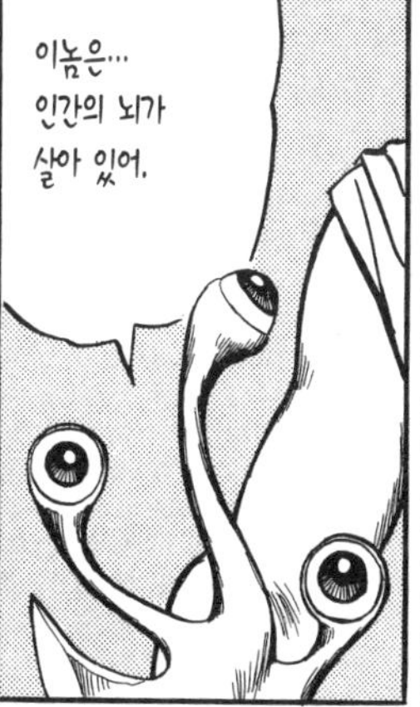
이놈은…
인간의 뇌가
살아 있어.

왜 그래?
오른쪽아!
…….

하… 하하….

히야—.
이거 별일 다 보네!
넌 손이냐—?

우악!!

뭐, 뭐가
인간의 뇌야!!
얼굴이 지금….

정말이라니까?
이거 봐—.

정말…
아, 아니야!
정말이라고.

정말이야, 신이치.
뇌는 무사하다.
…….

…….
…….

그래….

얼굴 아랫쪽에서
목 앞부분,
아마도 가슴 언저리
까지….

제14화 —끝—

—제15화— 사라진 30%

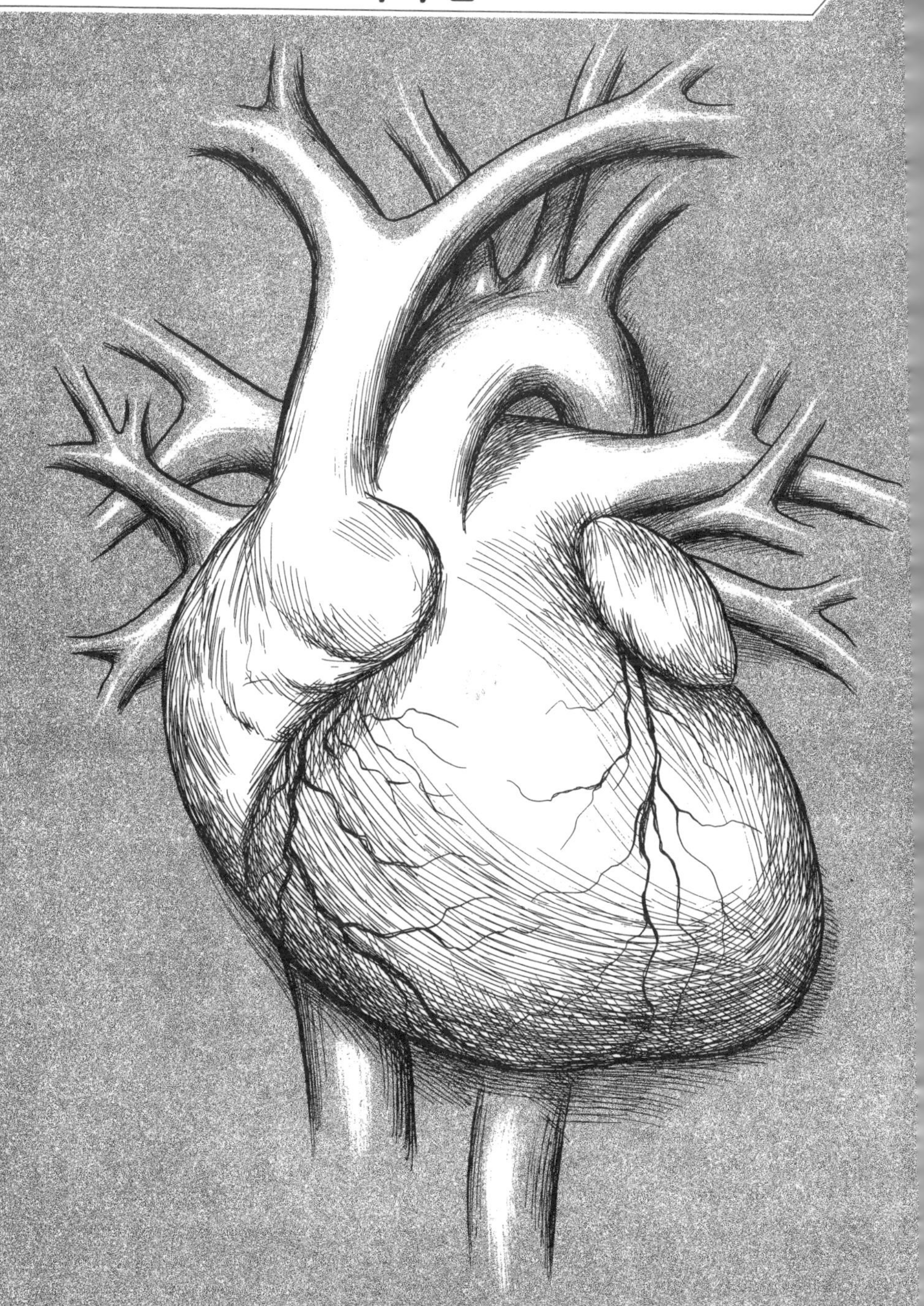

결혼한 지
1년쯤 됐을까.
마누라가 달아났어.
애는 아직 없었고.
아무튼 충격이었지.
……
그 여자는
아무 말도
하지 않았지만…
무골호인에 우유부단한
내 성격이 짜증스러웠나 봐.
나도
내가 싫어졌지.
…더 이상
살아 있기도….
하지만 나는
죽을 용기조차
없었던 거야.

아름답구나—.
이곳의 바다는
여전히….
…사실 여기는
학창시절에 놀러왔던
추억의 장소거든.
?
꿈틀
쩌억
처어
?!
우악,
배, 뱀이다!
저리 가!
쉿쉿!

슈아악
푸욱
으악!
꿈틀꿈틀
우아아아악!!
철컥
으아아아
아아아.
풍덩
엉

내가
말할게.

그 다음엔….

…….

처음에 우린
「뇌를 장악하는 것」 만을
목적으로 하는 생물이었어….
나도 무조건 뇌를 향해
나아갔지.

네 오른손도
약간은 기억하고
있을 거야.

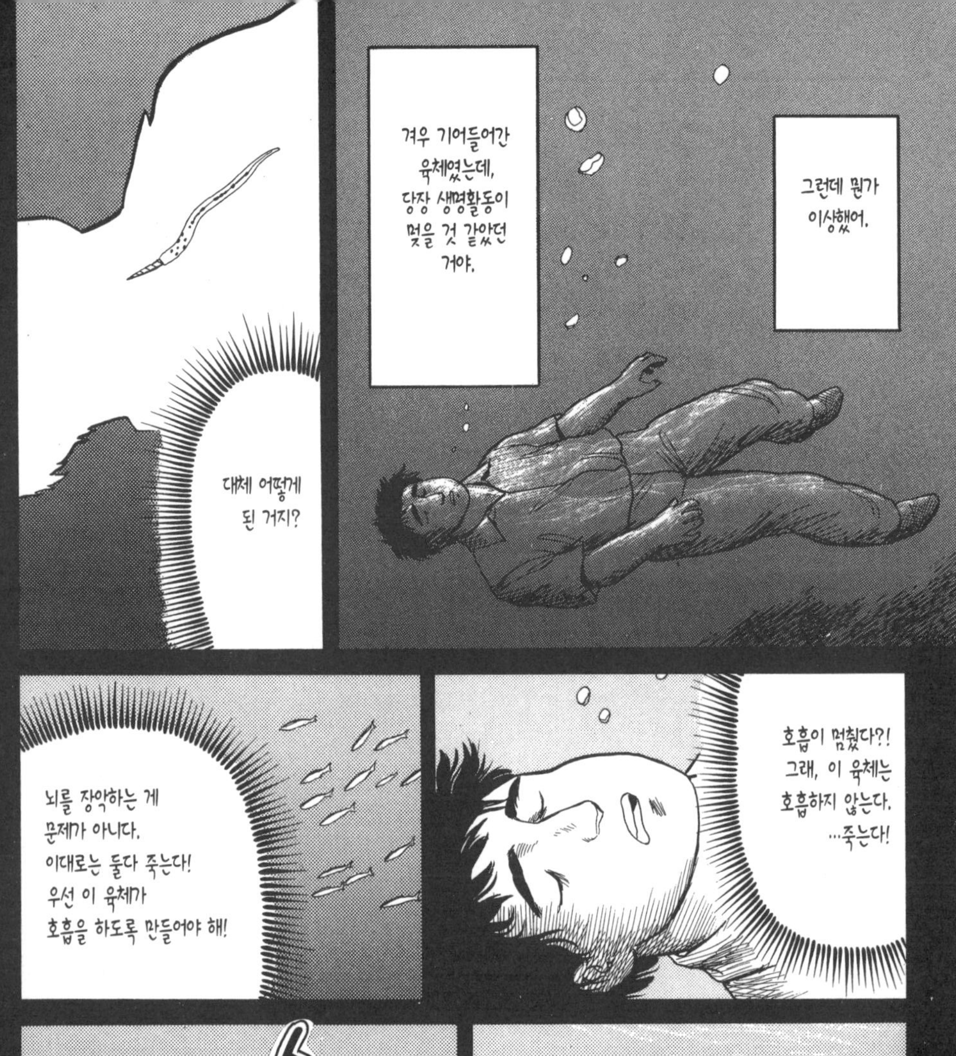
겨우 기어들어간
육체였는데,
당장 생명활동이
멎을 것 같았던
거야.
그런데 뭔가
이상했어.
대체 어떻게
된 거지?
호흡이 멈췄다?!
그래, 이 육체는
호흡하지 않는다.
...죽는다!
뇌를 장악하는 게
문제가 아니다.
이대로는 둘다 죽는다!
우선 이 육체가
호흡을 하도록 만들어야 해!

스르르
거의 가사상태였지만
우선 내 몸 주위의
조직과 동화해서
호흡부터 시켰지!

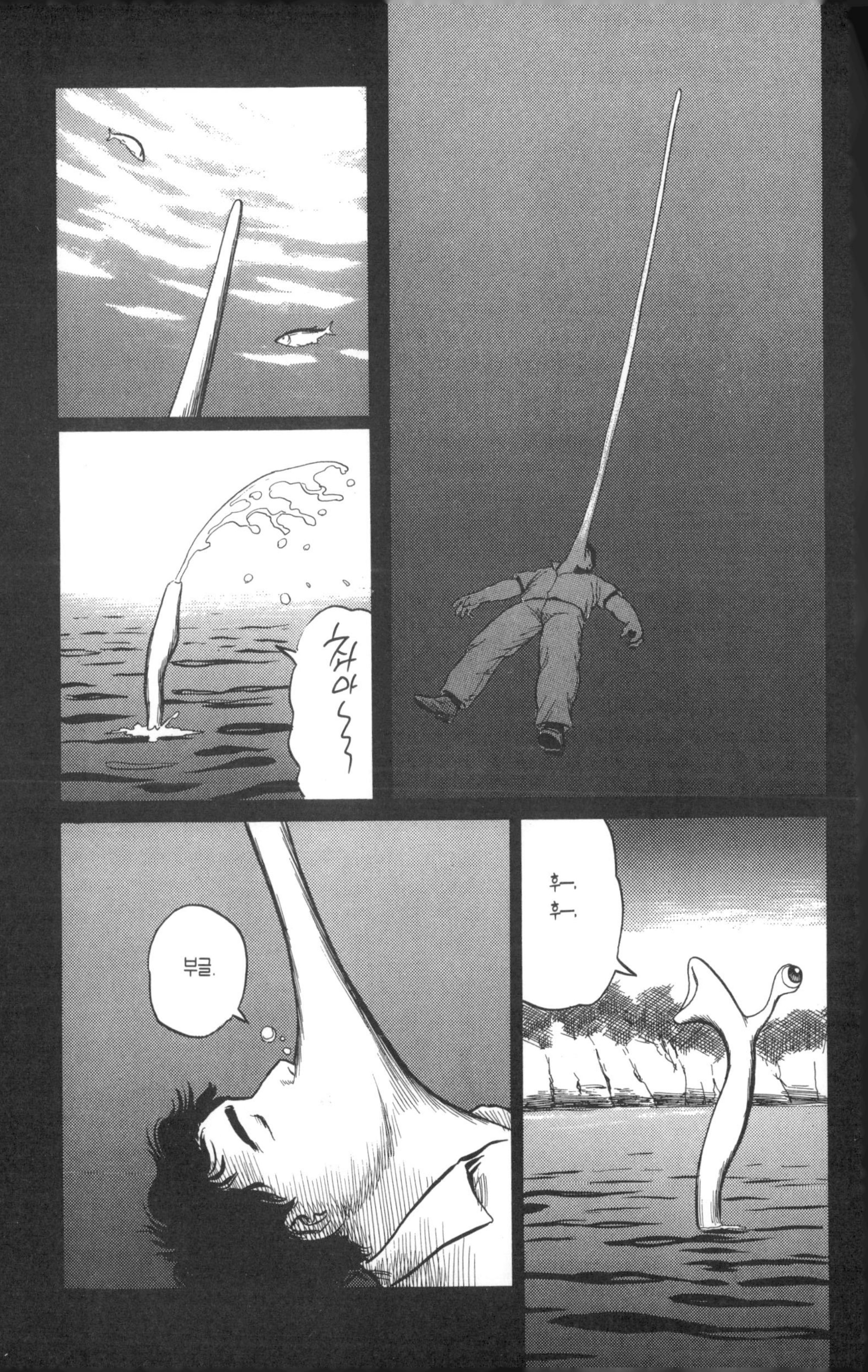
촤아~
후-.
후-.
부글.

……
그렇게 돼서
말이지….

정말 재미있군.
히야~.

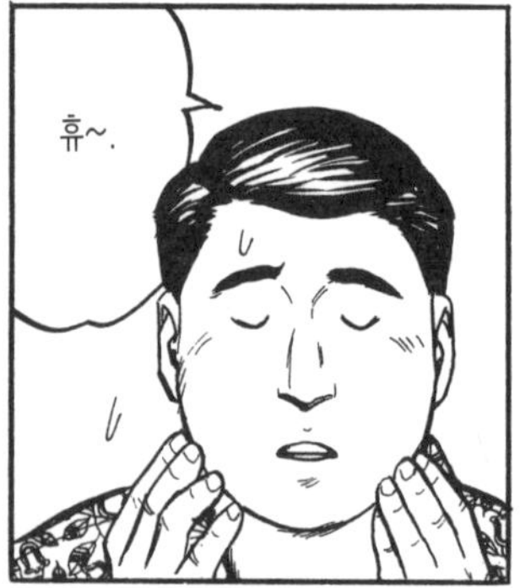
휴~.

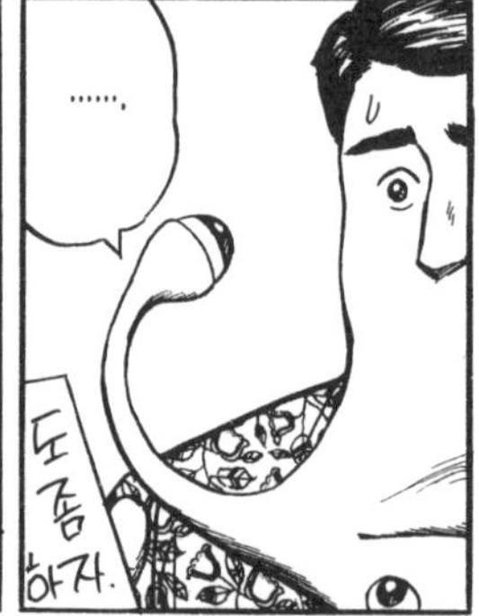
……,
도
좀
하자.

나도
말 좀
하자.

대체 어떤 괴물이
나타날까
싶었는데….
하지만 정말 놀랐어….
좀전에 갑자기 이놈이
「동족이 가까이
있다」길래.

시끄러워!
너한테 내 몸의
절반을 넘겨주면
내가 다이나믹하게
설명을 못하잖냐.

너를 보고 안심했어….
히야~
나 같은 일을
당한 사람이
또 있다니!

너도 얘기 좀
해 줄래?
네 오른손에
대해서.
얘기해 봐.

저… 그전에
장소를 좀
옮겨도 될까요?
어떤 장소에서
너무 떨어지면
안 되기
때문에….

……?

응?
없네….

…돌아갔나?

으… 흐흐흐…. 너무해…. 세상에 이럴 수가….

그래서 너는 쭉 이 병원 앞에….
으흐흐….

아…. 네….

얼마나 괴로웠을까…. 나라면 도저히 못 견뎠을 거야.
훌쩍

대체 이놈은 왜 우는 거야? 정말 인간이란 알 수가 없다니까.

나도 가끔은 그렇게 생각해.

아아….
영어로 「기생동물」이나
「기생충」이라는 뜻이야.
부르기 쉬워서
그렇게 이름 붙였지.

패러
사이트?
네 패러사이트는
말투가 깔끔한
편이구나.
훌쩍
그런데…

나는 대개
TV로 말을 배웠거든?
이놈은 비디오를
되게 좋아해.
툭하면 영화 보고
징징 짠다구.

이놈은…
아마 책만 읽어서
말투가 그렇게
굳어진 것 같아요.

전 이즈미
신이치입니다.
이놈은
「오른쪽이」구요.

넌 입 좀
다물어!
운다는 건
인간 특유의
본성인가?

…….

하지만…
나도 기쁘다!
나와 같은 인간이…
내 편이 있었다니!

신이치….
신이치!

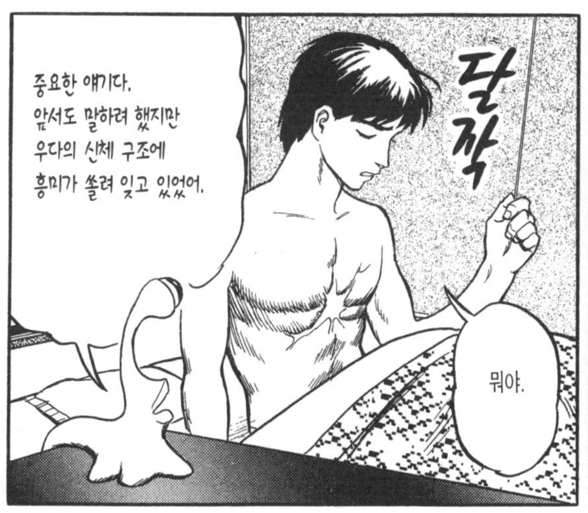

달칵
뭐야.
중요한 얘기다. 앞서도 말하려 했지만 우다의 신체 구조에 흥미가 쏠려 있고 있었어.

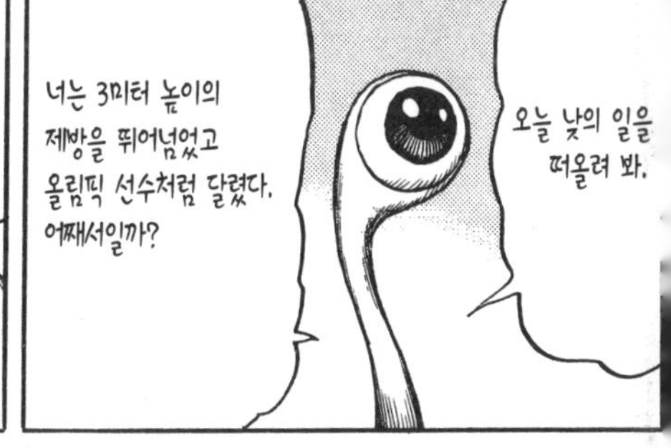

오늘 낮의 일을 떠올려 봐.
너는 3미터 높이의 제방을 뛰어넘었고 올림픽 선수처럼 달렸다. 어째서일까?

뭐어…?
뭐가 어쨌다고?

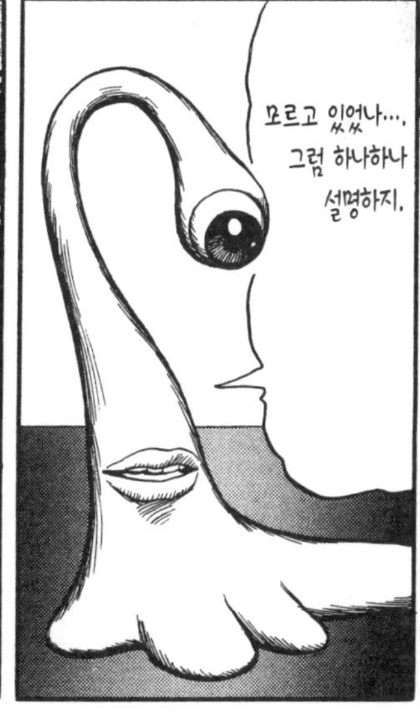

모르고 있었나…. 그럼 하나하나 설명하지.

우선 내 몸 말인데.
내 힘으로 분열할 수 있다.
어, 굉장하네?
이렇게 되기까지는 훈련이 필요하지만.

둘로 분열한 단계에서는
둘 다 생각도 하고
말도 할 수 있지.

…흠.

하지만 너무 작게
흩어지면…

지능은 저하되고,
생각은커녕 원래대로
돌아올 수도 없어져서
금세 죽어 버린다.
야, 야….

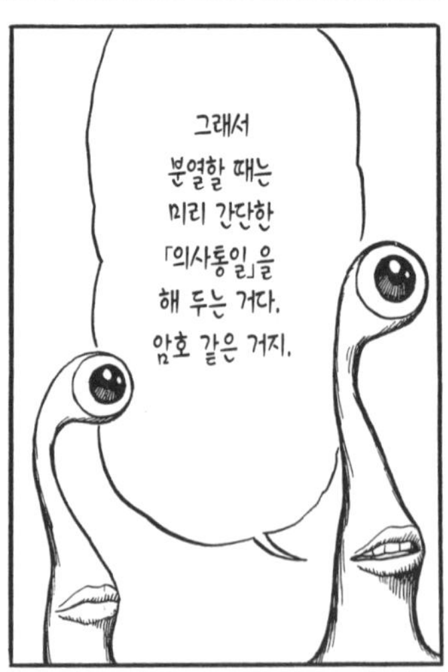

그래서
분열할 때는
미리 간단한
「의사통일」을
해 두는 거다.
암호 같은 거지.

휘적휘적

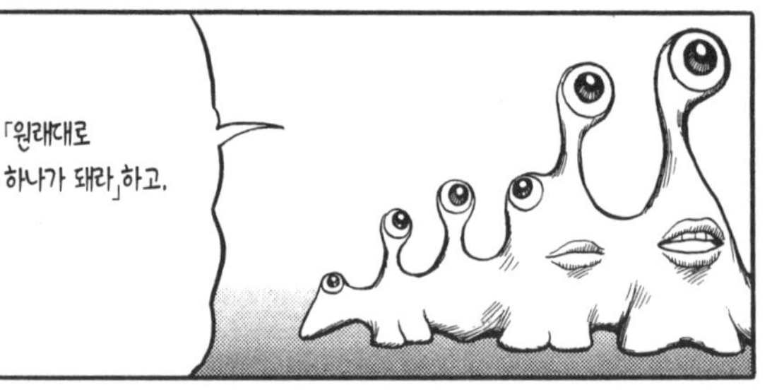

「원래대로
하나가 돼라」하고.

미세하게 분열한
내 파편이
생존할 수 있는
장소가 있다….
그런데…

…아아.
그러냐….

내 몸….

항상 신선한 혈액이
공급되는 곳.
즉, 네 몸 속이야.

…그래.

오른쪽이,
너 설마!!

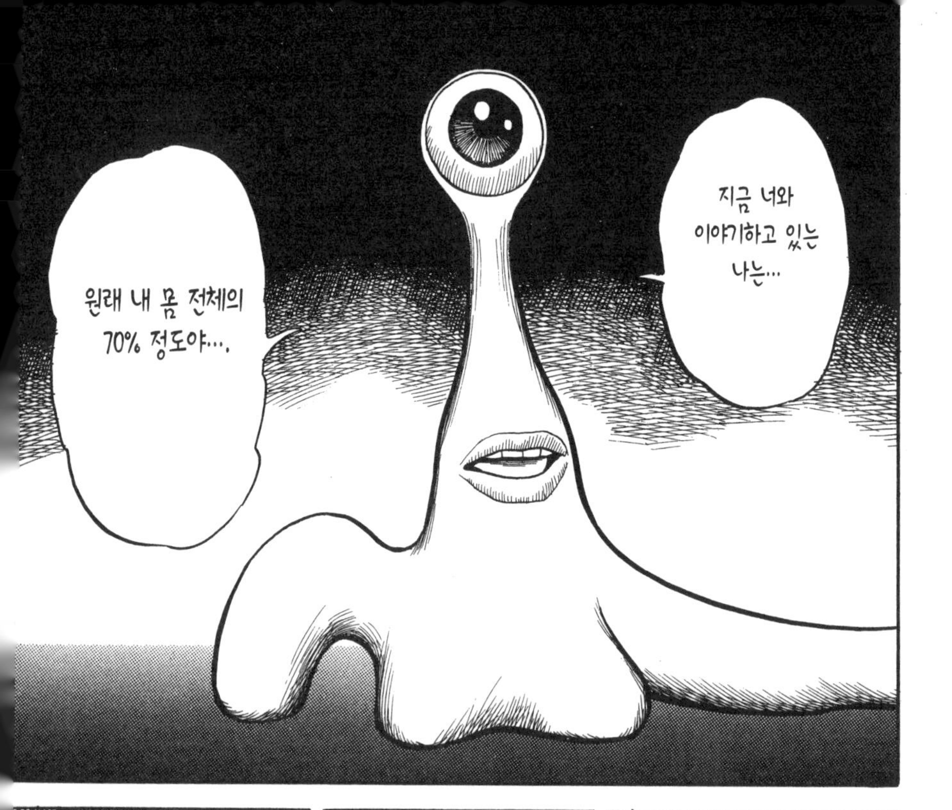
지금 너와
이야기하고 있는
나는…
원래 내 몸 전체의
70% 정도야….

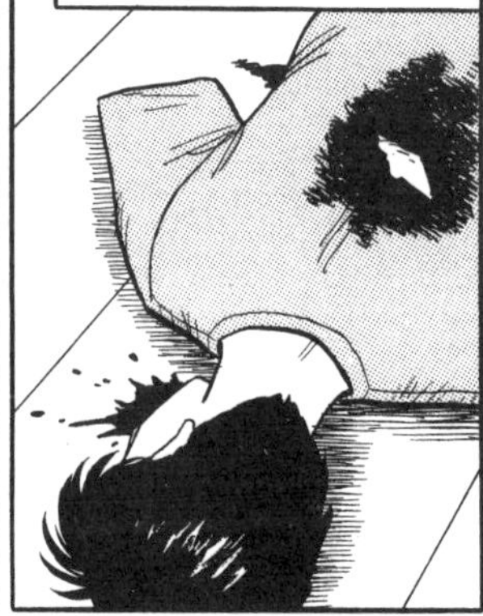
…그때 네 심장에
뚫린 구멍을 막은 나는
혈관을 따라
오른손으로 돌아가려 했다….
다시 구멍을 뚫고
빠져나갈 수야 없으니까.

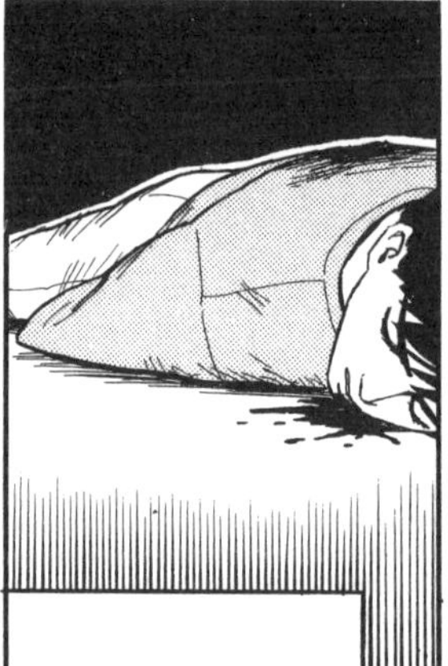
「오른손으로 돌아가자.」
그렇게 의사통일을 한 나는
몇 개로 분열해서
동맥으로 들어갔다….
그런데!

회복한 심장의 힘이
예상보다 훨씬 강해,
내 몸의 일부는
거기에 휘말려,
더욱 잘게 분열되어
온몸으로
흩어져 버렸다!

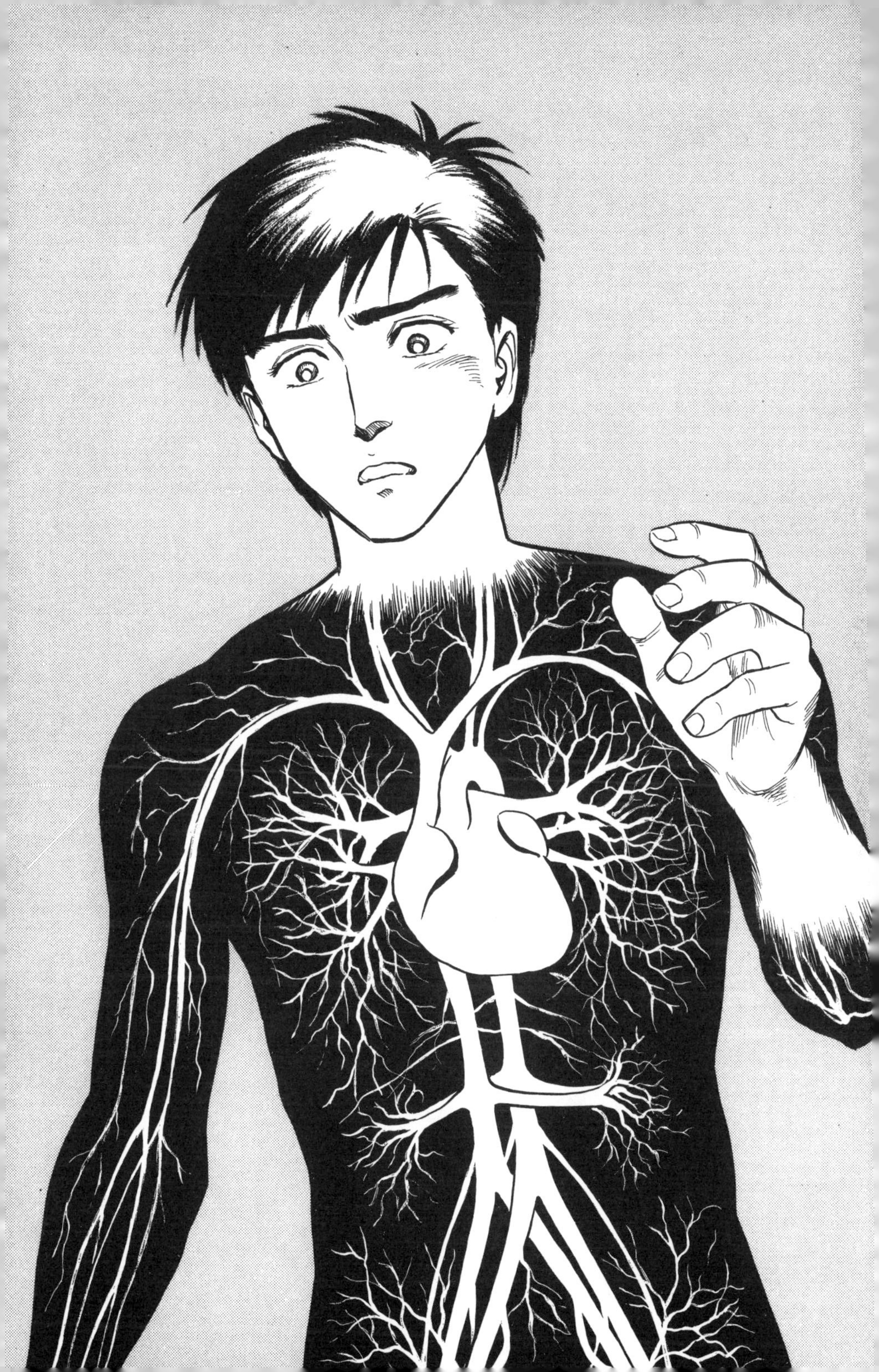

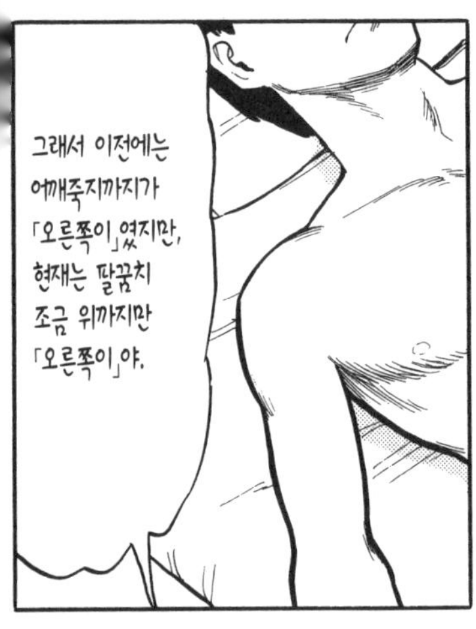
그래서 이전에는
어깨죽지까지가
「오른쪽이」였지만,
현재는 팔꿈치
조금 위까지지만
「오른쪽이」야.

그들은 너무 작아져서…
이제 연결도 되지 않는다.
할 수 없이
모자란 부분을
네 몸에서 세포조직을
조금씩 모아 구성했지.

…네 몸에
변화가 없으면
잠자코 있을
생각이었는데….

이제…
웬만한 일에는
놀라지도
않겠다 했는데….
세상에….

오른쪽아.

왜?

…….

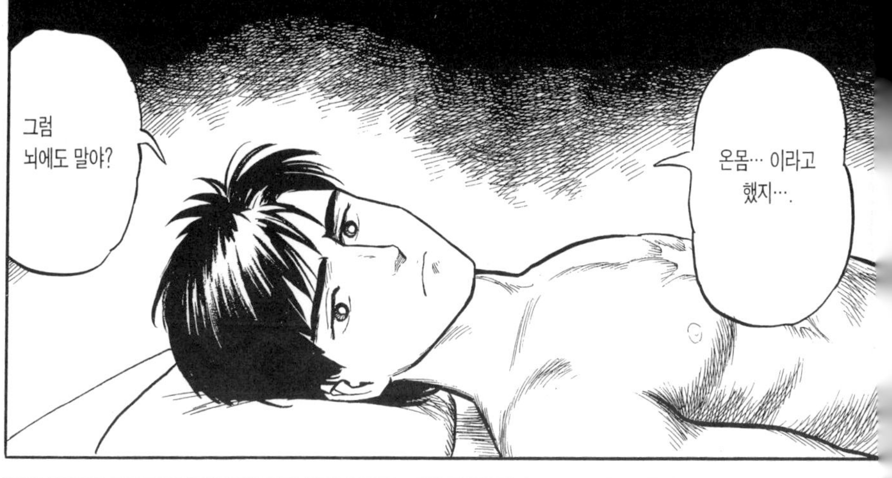
온몸… 이라고 했지….
그럼 뇌에도 말아?

알 수 없어…. 하지만 파편들은 의식을 갖고 있지도 않은데다, 모세혈관까지 들어가지는 않았을 거야….

마음에 걸리는 일이라도 있니?

아니… 별 건 아니야.
내 생각이 지나쳤는지도 몰라.

아버지를 만났을 때, 여러 가지 생각이 북받쳐 가슴이 터질 것 같았는데도 눈물은 나오지 않았다….
아까도 그래. 우다 아저씨는 처음으로 동지를 만났다며 그렇게 울었는데 나는….

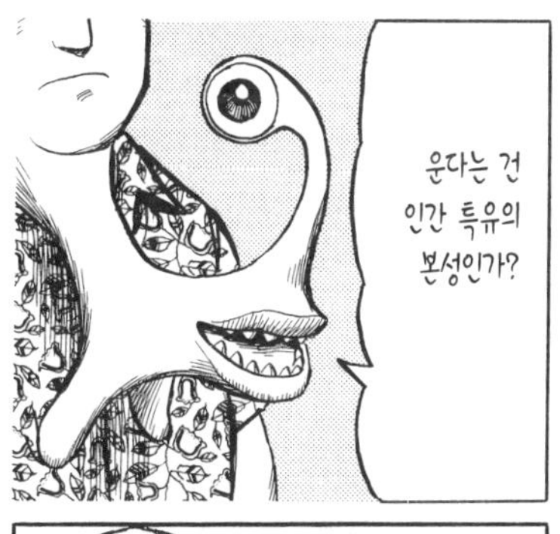
운다는 건 인간 특유의 본성인가?

그리고 또
며칠이 지났다—.

가슴의…
구멍이라….

…….

마키.
!

뭐야, 알고 있었어?

나 말야….
보통 사람으로 보여?

왜 그래?
아…
보, 보여.

아무것도…
얘기 안 해
주면서!

뭘 혼자
생각하고
혼자 이해하고
그래?
뭐, 뭐야?!
왜 그러는데!

배 안에서도,
지금도 그래!
신이치 오빠는 가끔
이상한 얼굴을 한다구.
마치…

뭐?

그래서…
마음에
걸린다구….

눈물 흘리지 않고
우는 것 같아!

미… 미안해….

됐어,
몰라—!

…….

아, 마침
들어오네요.

신이치 학생
전화예요.
우다 씨
라는데….
네?!

여보세요!

네가
기다리는 상대가
틀림없을 거야!

왔어!
패러사이트
한 마리가!
먼 발치서
보긴 했지만….

아니, 내 존재를
눈치챘는지
이쪽으로 오고 있어.
네가 올 때까지
어떻게든 붙들고
있을게.

그놈이 곧바로
이쪽으로
오고 있나요?

그놈들이라니….
다른 패러사이트를
본 건 너희들이
처음인데?

우다 아저씨!
그놈들과
만난 적이
한 번도 없어요?!

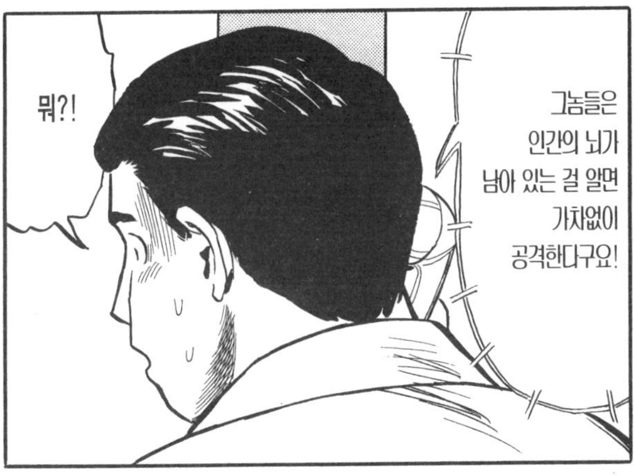
뭐?!
그놈들은 인간의 뇌가 남아 있는 걸 알면 가차없이 공격한다구요!

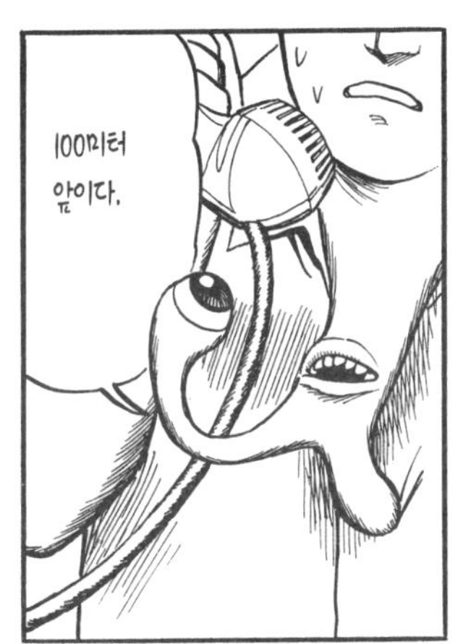
100미터 앞이다.

어서! 어서 떨어지세요!

아, 알았어! 그쪽 마을과의 경계쯤에 벼랑이 있어! 그쪽이 지름길이니까 그리로 갈게!
알았습니다! 저도 곧 갈게요!

찌잉
으하~. 큰일났다!

......

드르륵
여—.
뭔 일인가?
드디어
쳐들어왔나?
와다닥
…….
저기다!
…….

신이치!

허억.
허억.

좋아! 우다 아저씨일 거야.
반응이 하나! 또 하나는 아직이다.

신이치!
뭐야! 또 하나가 잡혔나?!

그게 아냐. 졸려!
뭐야아?!

야…
너, 장난하나?!

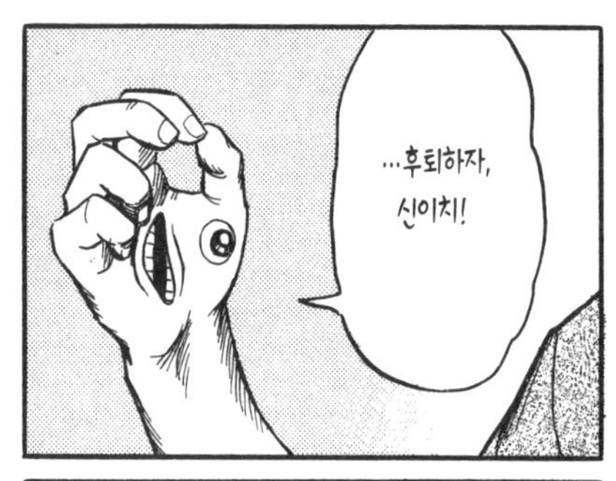
…후회하자,
신이치!

어떻게 그래!
우다 아저씨가
죽는 걸
보고만 있으라고?!

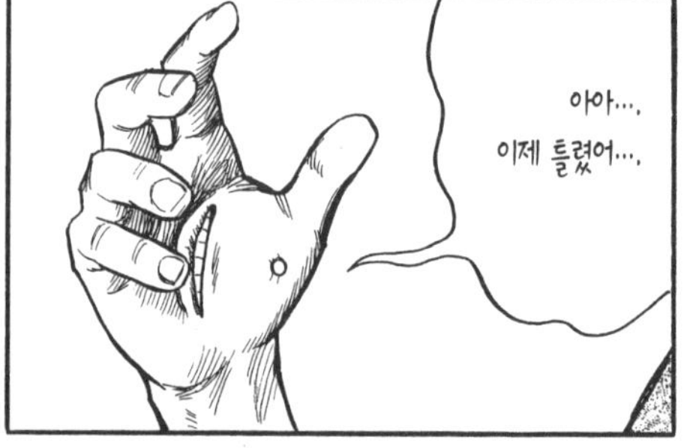
아아….
이제 틀렸어….

야,
임마~!!

최소한
무기 모양으로
경질화시켜
두고 잘 테니….

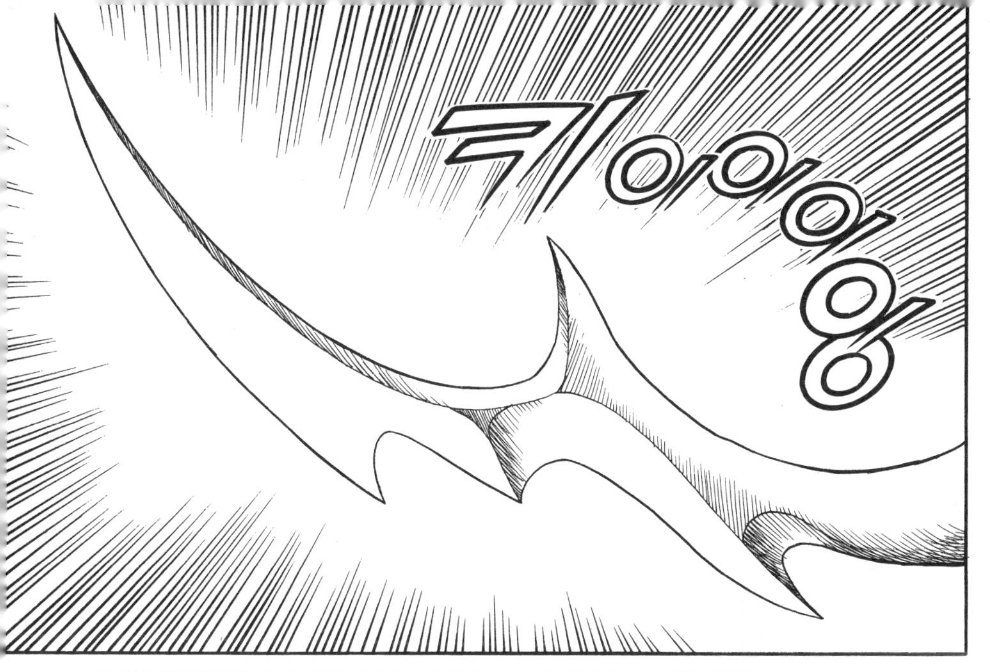
키이이잉

괜찮아!
우다 아저씨의
패러사이트와
힘을 합하면 돼!

그래도…
가능하면 피해라….
우선은 너 자신이…
살… 방… 법을….

…그러면
이긴다.
반드시!

하… 하지만.
헉 헉 헉
야, 계속 뛰어!

헉, 헉.

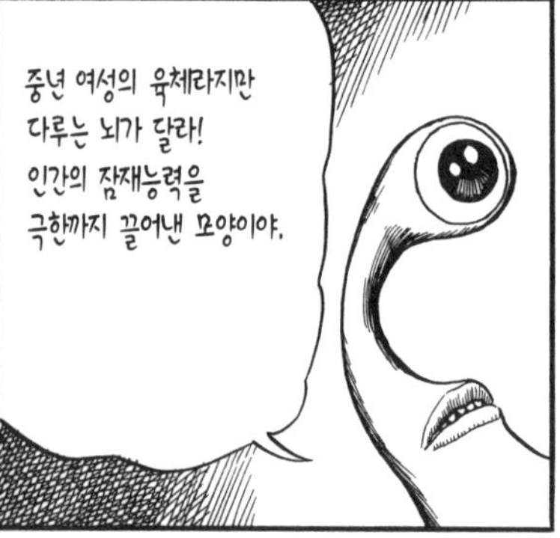
중년 여성의 육체라지만
다루는 뇌가 달라!
인간의 잠재능력을
극한까지 끌어낸 모양이야.

뒤쪽에서
뛰어오고 있군.
뭐?!

…그러면
이쪽 샛길로 들어가자.
신이치가 오면
앞뒤에서
협공할 수 있을 거야.

승산이 없어,
도망가자!
그럴 수는 없어!
이제 곧 신이치가
올 텐데.
힘을 합쳐서
해치워야지!

헉헉
제기랄,
상대의 위치를
전혀 모르겠네.

헉, 헉.

이건 그냥
칼 아냐?

…….

왔다!!
부시럭

야… 더 앞으로는
못 가겠는데.
잘못 온 거 아냐?
그냥 쫓겨다니다
잡히느니
매복하는 게
낫겠다 싶었는데.

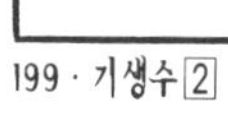

흐음…
내게서 달아나려 한
이유가 그거였군.
며칠 사이에
벌써 두 명째다.
뇌가 살아남은 놈을
보는 것은.

하지만 나로서는
단순한 방해자….
당장 없애버리겠다!
우아아아!!
헤에….
이게 내가 지녔어야 할
「완성품」의 모습이구나!

휙
이
이

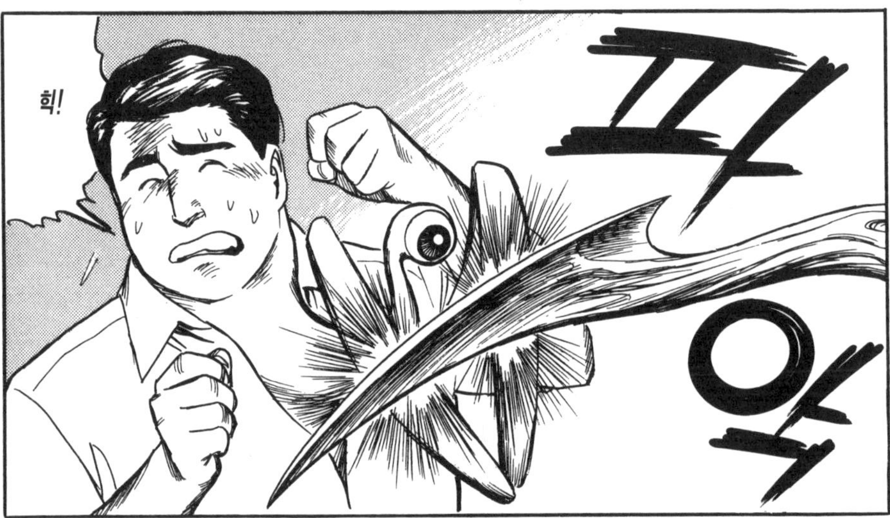
힉!
파
악

파
악

휘
잉
휘우이잉

우헉.
지잉—

커어….

칵
캉
카앙
수… 숨막혀!!

제15화 —끝—

월간 **애프터눈**

독자페이지에서 ····· Vol. 3

기생수 2

「〈기생수〉, 오른쪽이가 인간사회를 알고 인간의 '마음'을 알아 가는 만큼 신이치가 기생생물의 비정한 마음으로 변해가는 것 같아서 무섭다.」(시즈오카 현 나츠메 시게타카. 20세 공무원)

「인간다움=아름다움이라고 나는 믿습니다. 앞으로 신이치의 마음에 다소 변화가 일더라도 끝까지 지켜봐 주세요.」(이와아키 히토시)

애프터눈 '90년 11월호에서

「〈기생수〉, 올 여름 LA에서 알게 된 메이저 영화회사의 감독이 절찬했습니다.
나는 오른쪽이를 패러사이트(기생생물)라고 소개했는데, 바로 그런 캐릭터가 등장해서 놀랐습니다.」
(야마구치 현 지지케이. 20세 학생)

「다른 나라 사람들도 작품의 재미를 이해한다니 기쁩니다. 나는 한 나라의 지극히 일부 사람들에게 짧은 시간 동안만 인기를 끄는 만화는 그리고 싶지 않다는 생각입니다.」(이와아키 히토시)

애프터눈 '91년 1월호에서

작가가 대답했다

월간 **애프터눈**

독자페이지에서……Vol. 4

기생수 2

「〈기생수〉 표지가 무서웠습니다. 꿈에 나올 것처럼 섬뜩하지만 왠지 그 그림을 자꾸만 보게 됩니다.」
(카나가와 현 고토 유미코. 30세 회사원)

「실은 나도 그릴 때 무서웠습니다. 좀더 코믹하게 하고 싶었는데 「붓끝, 혹은 펜촉이 그림을 키운다」라고 표현해야 할까요. 처음 머리에 떠올린 것과 다른 그림이 되어 버릴 때가 자주 있습니다. 지난 호에는 붓끝이 웃음보다 공포를 키워 버린 모양이군요. 다음에는 재미있는 그림을… 하고 머리로는 생각하고 있습니다.」 (이와아키 히토시)

애프터눈 '91년 8월호에서

「점점 더 무섭고, 그러면서 재미있어집니다. 힘내세요.」
(나가노 현 혼마 미노루. 29세 회사원)

**「여름은 맥주를 마시고 싶은 계절이지만, 알코올이 들어가면 능률이 떨어지고 집중력이 사라지기 때문에 일하는 중에는 마시지 않습니다. 이 더위 속에서 몇 주나 맥주 한 모금 못 마시며 일하다가, 그게 끝났을 때 마시는 한 모금의 맥주 맛은 저밖에 모를 겁니다. 흔해빠진 음료가 이렇게 행복을 가져다 준다니, 정말 본전 단단히 뽑는 겁니다.」
(이와아키 히토시)**

애프터눈 '91년 10월호에서

제16화 여행의 끝

분명히 뒤쪽에서
들렸어!

「A」와 싸웠을 때
질리도록 들은
그 소리다!
금속음과는
다른…

샛길로
들어섰나…?

카각
!

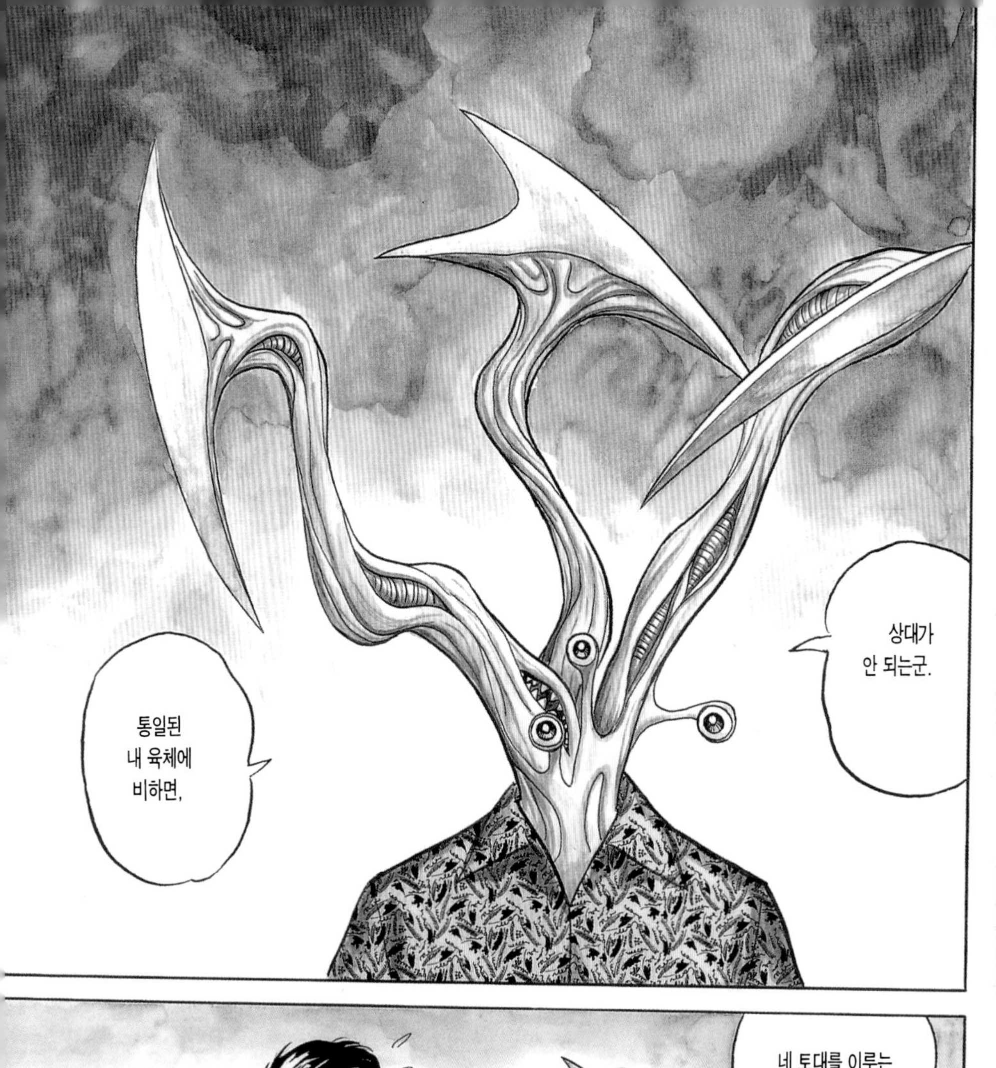
통일된 내 육체에 비하면,
상대가 안 되는군.

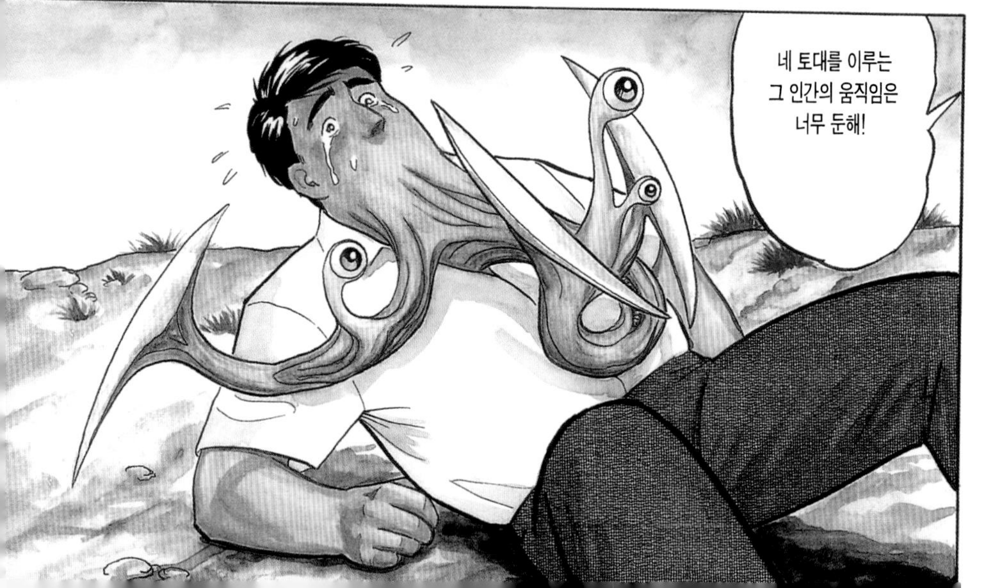
네 토대를 이루는 그 인간의 움직임은 너무 둔해!

승패는
결정됐다!
시간을
낭비하긴 싫다!
어서
포기해라!

하긴 이 남자의
움직임은
너무 둔하긴 해….

게다가 호흡이
엉망진창이라
나까지
힘들어지는걸.

하지만
이 녀석의 공격도
좀 단조로운
데가 있어….
그래…
마치 몸의 단 한 곳만을
노리는 것처럼….

슈우욱 슈욱

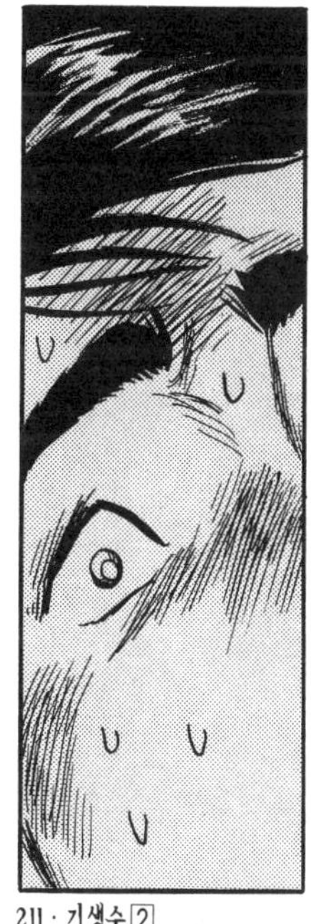

푸우욱

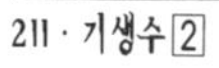

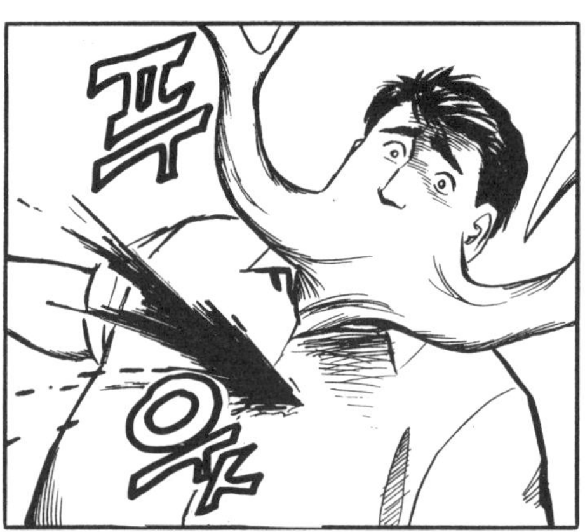
푸
욱

떼굴 떼굴

겨우 끝났군.

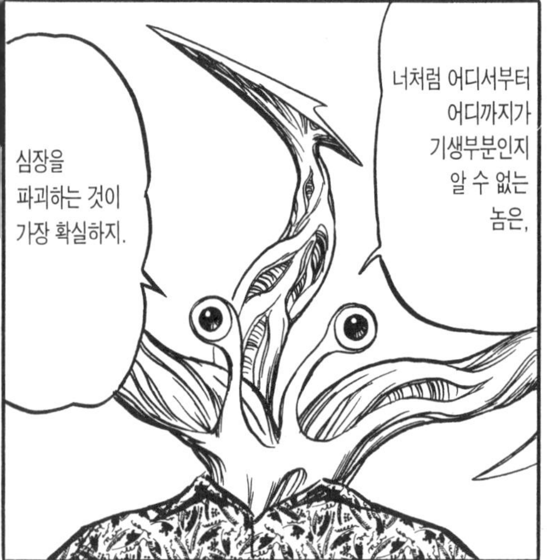
너처럼 어디서부터 어디까지가 기생부분인지 알 수 없는 놈은,
심장을 파괴하는 것이 가장 확실하지.

역시 그랬구나….

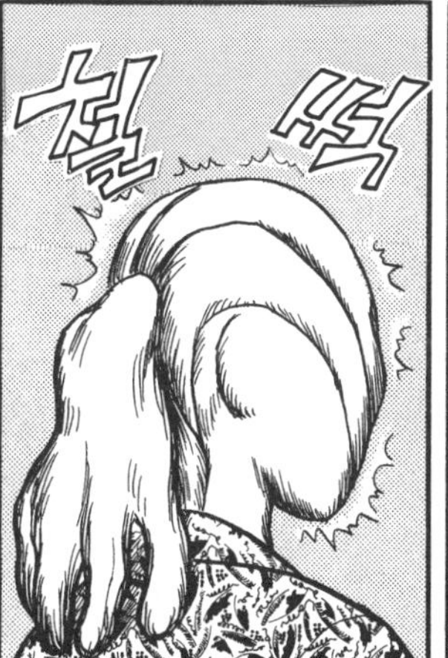
휠
썩

희한한 일도 다 있군.
이렇게 인적이 드문 곳에….

「동족」이 또 하나…?
?!

이상한데…. 반응이 너무 약해. 마치 자고 있는 것 같다….
하지만 다가오고 있어.

!

……. ……..

어떻게…?! 분명히 죽였는데!

그때
빗맞았던 건가?!
아냐…
그럴 리 없어!

심장을 뚫리고도
죽지 않다니!
역시 목까지
잘라놓을 걸
그랬나.

…너무하는군.
목소리까지
똑같다니….

1초라도
빨리…
너를
죽여버리겠어!

…….

쫘악

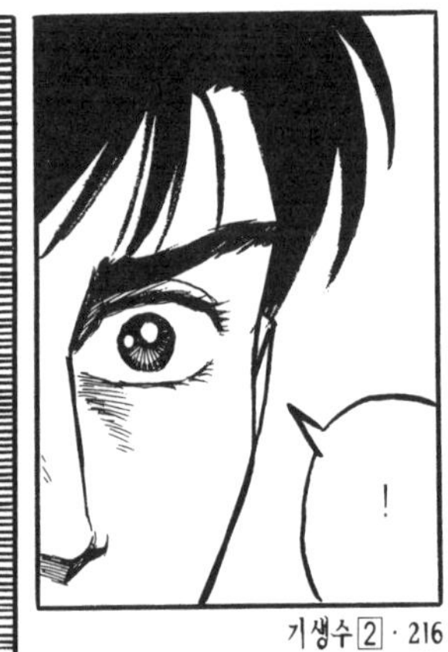
!

공격태세에 들어간
적을 앞에 두고
시선을 돌리는 것은
자살행위다.
그러나—
친숙하던 형상이
붕괴하는 순간,
자기도 모르게
신이치는
눈을 감고 말았다.

적은 바로
공격해 오지는
않았다.
심장을 뚫렸던 상대가
눈앞에 서 있는
불가사의함—.
신이치의 숨은 능력을
경계하는 것이다.

헤헤….
그래… 그렇게
나오셔야지.
괴물이면
괴물답게
놀라구!

우다
아저씨는
…?

역시 오른손의
반응이 약하다.
혹사 동면하고
있는 것 같군.
그렇다면 적은
인간 한 마리다.

…….

후웅
슈욱

피했어?!

설마!
인간에게 그만한
운동능력이
있을 리가….

휘익

타앗

…이럴 수가!
탁

저놈의
움직임이
보여!

슈웅

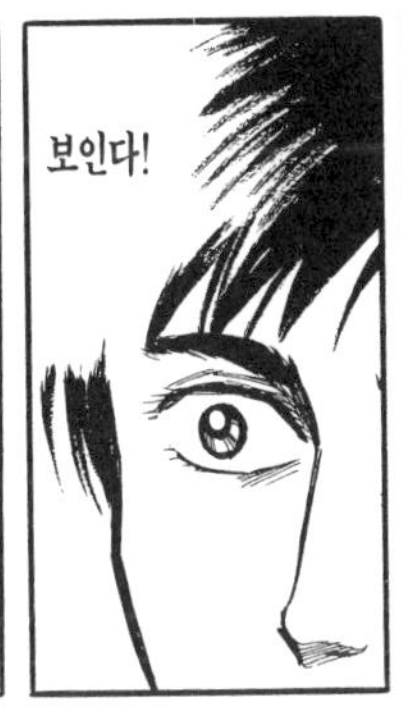
보인다!

슈우

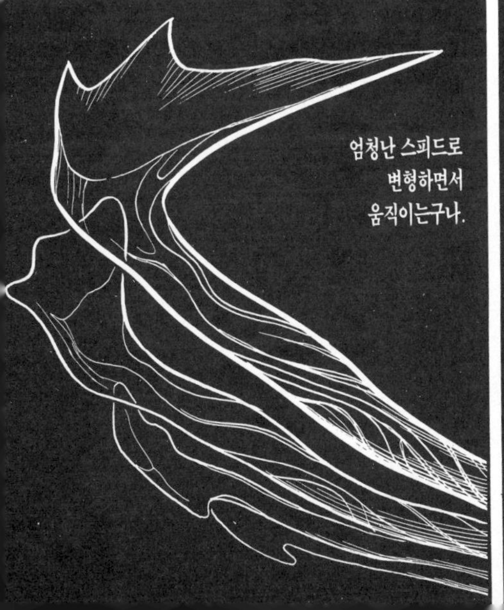
엄청난 스피드로
변형하면서
움직이는구나.

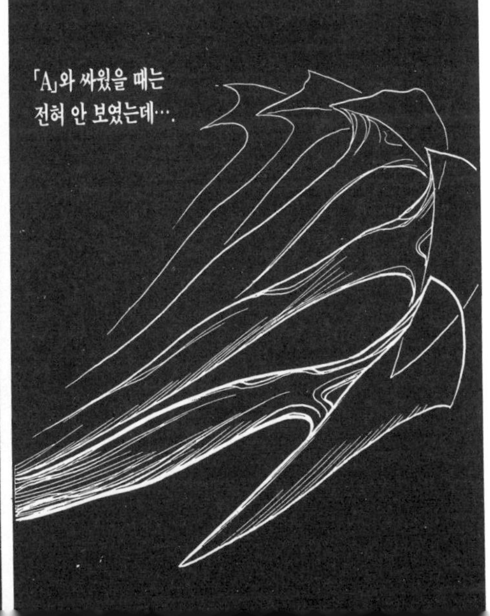
「A」와 싸웠을 때는
전혀 안 보였는데….

파앗
푸악

믿어지지
않아!

!!

착

크….

우다 아저씨!!

제기랄!!

저놈이!
이 세상에
단 하나….
내 처지를 이해해주는
유일한 사람이었는데!

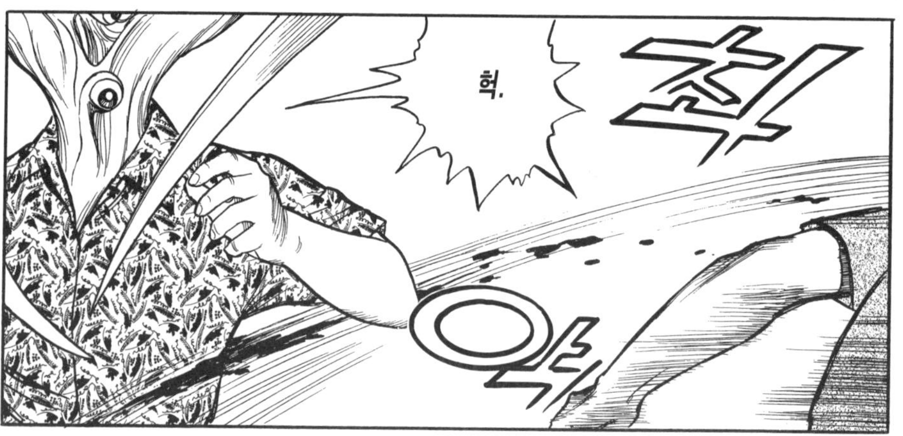
헉.

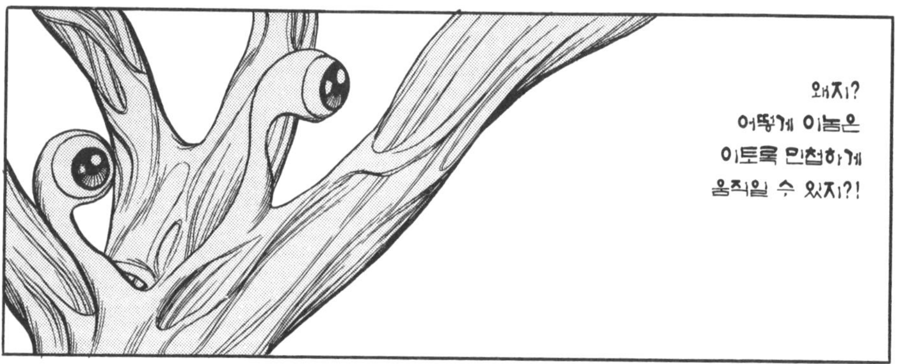
왜지?
어떻게 이놈은
이토록 민첩하게
움직일 수 있지?!

앗!

목이다….
목 위만을
노려야 해!

퍼억

죽어라! 어서!
1초라도 빨리!

퍼
죽어라!
꾸엑.
벅

털썩

툭

이놈은!
부웅

마치 인간이 아닌 것 같다!
척

엄마!

푹

엄마, 지금!

카앙

그 괴물을…
지금 당장

떼어내
드릴게요!!

우앗!
죽어라!!

파샥
파앗

?!

우다 아저씨!!

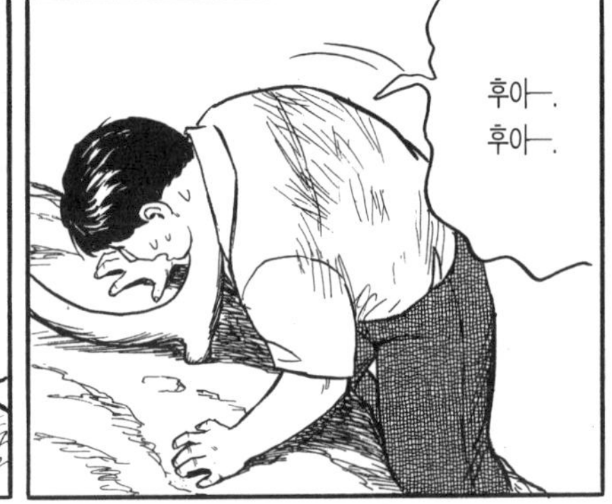
후아-.
후아-.

이… 이놈은 물론
네 어머니는 아니야.
…하지만,

역시
네가 죽여서는…
안 될 것 같았어.

왜지…
너까지… 어떻게
살아 있는 거야….

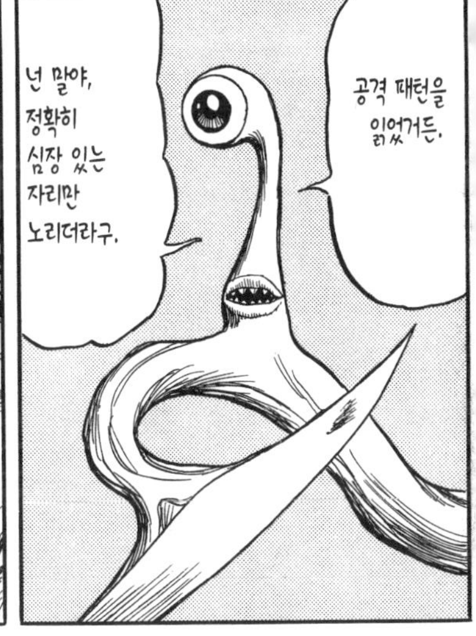
공격 패턴을
읽었거든.
넌 말야,
정확히
심장 있는
자리만
노리더라구.

난 이 남자의 장기에도
손이 닿는단 말씀이야.
네 촉수에 찔리기 직전에
심장이며 기타 중요기관들을
옮겨서 길을 터놨던 거지.

…….
…….

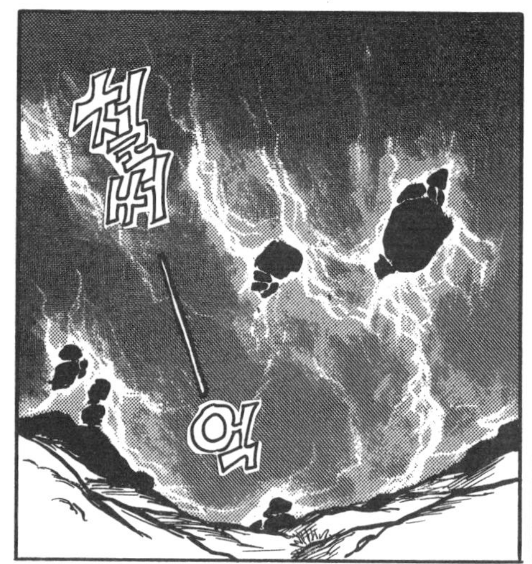
철써—억

엄마….

…….
…….

…끝났어….

다 끝난 거야….

그동안 신세가
많았습니다.
민박 가로수

이제 병원에
아버지를 모시러
가는 거죠?
네.

두목께 안부
전해주시게나.
아버님도
참.
?

그럼….

…….

요 앞까지
바래다 줄게.
마키!

요 앞까지
만이야!

힘들었지?
별난 손님이라.

…….

볼일은…
다 본 거야?

으응….
다 마쳤어.

…….

…아니.
이제 두 번 다시
여기는….
싫어!

요 다음엔…
관광하러 와.

…….

그러지 마….
또… 와야 돼.

病院
잘 가….

응….

돌아가는
길목에서,
아버지는
어떤 곳으로
아들을
데리고 갔다.
겉보기에는
이렇다할 것도 없는
절벽 위였지만,
그곳이 어떤 장소인지
아버지는 끝내
말하지 않았다.

그리고
한동안 두 사람은
말이 없었다….

…….

우다 아저씨,
여러 가지로
고마웠습니다….
아냐,
나야말로!

그럼… 건강해라! 가끔 연락이라도 하고 지내자.

아… 그리고 아까도 말했지만….
이번 일… 너희 아버지한테는 말하지 않는 게 좋겠어. 많이 힘들겠지만.

나도 그렇게 생각해.

이건 나를 위해서만이 아니라
네 아버지를 위해서이기도 해.

…나도 알아.

아버지가 모든 진실을 알면 세상에 알리지 않을 리 없다. ―온 인류를 위해.

하지만 그렇게 되면 사람들이 아버지의 말을 믿기도 전에 괴물들이 아버지를 노릴 거야.

나한테는 괴물 탐지기가 달려 있으니 괜찮지만 아버지는….

비겁해도 좋아!
아버지까지
잃고 싶지는 않아!

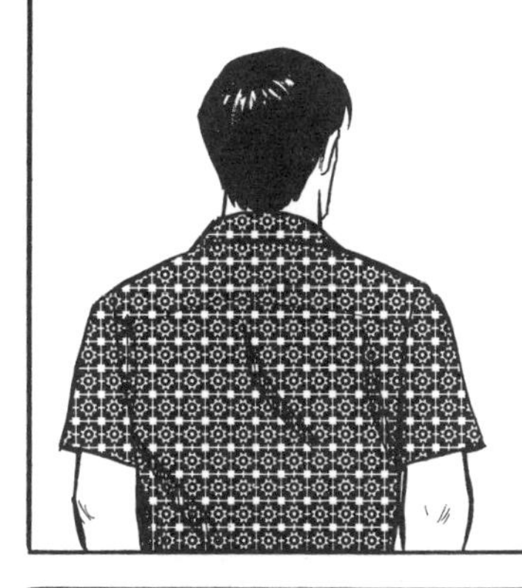

그러나
얼마 안 있어…
나나 우다 아저씨가
말하지 않아도
온 세상 사람들이
기생생물의 존재를
알게 되겠지….
그런 느낌이 들어.
그때가 되면….

신이치.

잘…
설명할 수 있으면
좋겠다만…
그, 뭐라고
할까….

단지…
이것만은
믿어주려무나.

네 엄마는 끝까지…
아니, 지금도
너를 사랑하신다.
그리고
아버지도
너와
네 엄마를….

예….

…….
…….

아버지,
…하나만요.

꿈 말인데요….

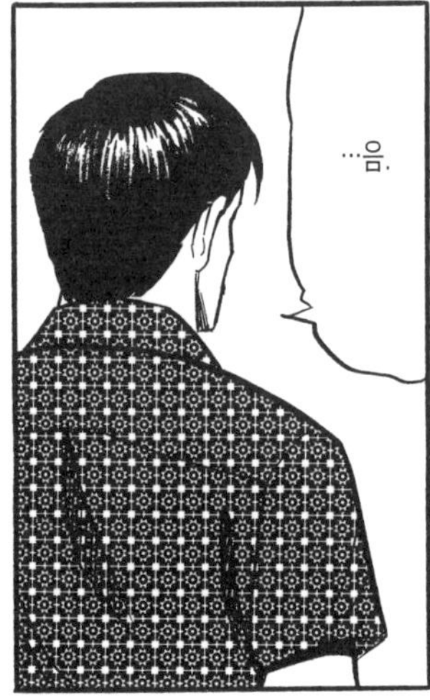
…음.

그… 아버지가
꿨다는
나쁜 꿈속에서…
엄마는…

그러니까…

모든 것은
순식간에
끝났으니까….
아니.

고…
고통스러워…
했었나요….

…그래요….

신이치…?

쿨—…
쿨—….

제16화 —끝—

제17화 변 모

のりば
出口

그 애다….

이 근처에
그 애가 있어!

신이치…?

신이치다!
돌아왔나봐!

신이치!

여어!

이게 어디서
자빠지고 있어!!

퍼억
크헉.

야야,
그만 해둬라!
사람 잡겠다!

허억, 허억.

커헉 커헉
미츠오, 저 자식… 요즘 성질 더러워졌어…. 길가다 좀 부딪힌 것 가지고도 이 모양이니.
그래….

그럴 만도 해. 카나가 말야….
하지만 정말일까? 카나한테 딴 남자가 생겼다는 게….

게다가 상대는 요전에 패준 그 서부고의….

아… 아냐….

그때 어떻게
그 애가 있다는 걸
알았을까?
…텔레파시?

후후…
또 역에서
기다리며
시험해 봐?

비켜.
나, 집에
가야 돼.

꽉

이거 좀….

카나…. 난 못 믿겠어. 대체 왜 그러니?!
바보야! 놓으라니까!

설마 너… 정말로 그 서부고 꼬맹이를….

꽈악

걘 꼬맹이가 아니야!
네가 너무 큰 거라구!

뭐….

야, 들었냐?
미츠오가 아무래도
완벽하게 차인 것 같아.

당분간
성질 건드리지
않는 게
좋겠구먼?
킬킬킬.

뭘 중얼
거리냐?
그것보다
시간 있으면
나랑 어디 좀
가자.

왜?
어딜 가는데?

심해서
부고 자식들이나
건드려 보려고.

......
난 관둘래.
서부고라면
치떨린다.

정 가고 싶으면
혼자 가.

뭐가 어째?!

움찔

쳇!

흥!
네 분풀이하러
가는데,
내가 왜
따라다니냐?

어?
북부고 머저리가
와 있네.

혼자야?
그런 것
같아.

북부고에는
호박들밖에
없나 보지?
여어,
한가하신 분.
또 여자 훔치러
오셨나?

…그 놈?

그 놈은…
없나…?

…….
…….

신이치인가 하는…
계집애 같은
녀석 말이야!

아… 마침
저기 오는군.
야, 신이치!
북부고 친구가
너 좀 보잔다!

응?

아아….
또 너냐…?

이 녀석이
맞나?

야, 신이치,
뭣하면 같이
가 줄까?

아냐…
괜찮아.

……
……

저 녀석,
며칠 못 본
사이에
싹 달라졌어.
전혀 약골로
안 보이는걸.

산속에서
수행이라도
하고 왔나?

어이,
어디까지 갈 거냐?
용건만 간단히
하라구.
교문 앞에서
친구가
기다린단 말야.

어떻게 된 거지,
이 자식….
요전하고는
영 딴판이잖아.
…이상하게
여유만만하고.

…….

사람을
잘못 봤나….
설마.

또 여기야?

너 카나하고…

카나하고…

설마 너,
여기서 사는 건
아니겠지?

카나하고
몇 번이나 만났어,
임마!!

뭐어…?!

아… 아아
카나라면 요전에 그…
겁나게 생긴
여자 애 말야?

딴청
피우지 마,
임마!!

오해야….
나참, 영문을
모르겠네.
요즘은
만나지도 않았고,
게다가 한동안
여행 다녀오느라….

여행?!

아무튼 나하고
상관없는
일이니까…
오늘은
안 싸워도
되겠네.

그래도
싸울 거라면
어쩔래?!

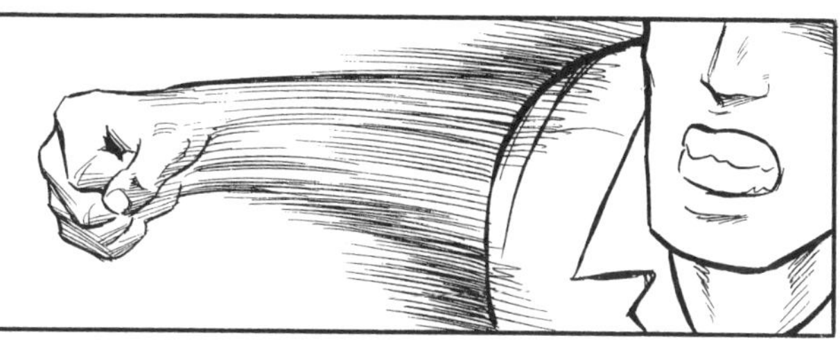

한심해서 원…
할 일이 그렇게도 없나?
그나저나 인간의 움직임이란 기생생물에
비하면 형편없이 둔하다니까.
마치 정지화면을 보는 것 같군.
저봐, 아직 여기까지밖에 못 왔잖아.
피하는 거야 간단하지만 피하면 피했다고
이 녀석이 또 열받겠지….
일부러
맞아주는 건 분하지만
이렇게 느린 펀치라면
맞아도 별일 없을 거야.
아~ 귀찮아 죽겠네.

퍽
억

아픈 건
마찬가지잖아!

으윽,
아야야….

쿵욱

투욱
!

우앗!
홱

털썩

…….
…….
저벅
저벅

거기 서,
임마!!

이 따위 놈한테
우습게 보일
수야 없지!

그만두라니까.
요전하고는
달라.

이 꼬맹이가!!
휙

뭐야….
얼굴을
걷어차려고?
너무하는군.

흐억?!

쿠당탕

허억….
크으….

어이, 괜찮나?

신이치―.

방금 교문 앞에서
카미조한테 들었어.
헉 헉

괜찮아.
아무 일 없었어.

……….
……….

움찔

신발 여기
놓고 간다.

나 배고픈데.
어디 좀 들렀다 안 갈래?

신이치…
어쩐지 분위기가 바뀐 것 같은데….
여행 가서 무슨 일 있었니?

…….

아니야….
예전의 신이치하고는 달라….
아주 많이….

아버지가 다친 걸 구실로 며칠 논 것뿐이야….
…….

신이치….
너… 이즈미
신이치… 맞지?

…글쎄,
모르겠어….

멈칫

저벅
저벅

왜, 왜 그래!
나는 나라구!

너는…
노무라 사토미… 맞지?

!

느껴져… 그 애가 다가오고 있어!

굉장하다! 어떻게 알았을까?!
내가 왜 이러지?

이제 곧 저쪽 모퉁이를 돌아 이쪽으로 오겠지….

거봐, 역시 왔지!

아….
뭐야, …여자 친구랑 함께잖아?

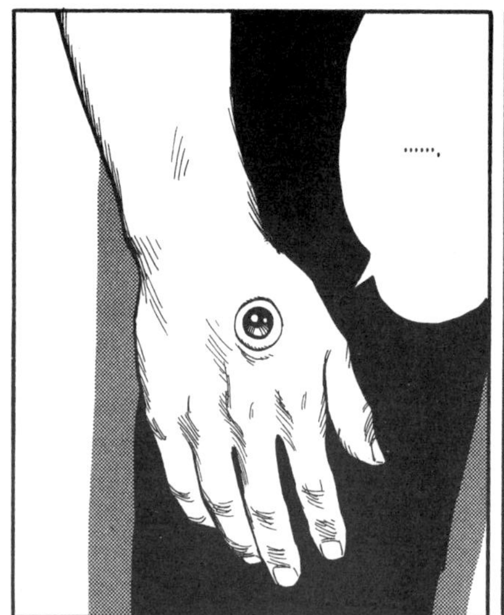

제3권에 계속

월간
애프터눈
독자페이지에서 ………… Vol. 5

독자의 질문에 작가가 대답했었다

기생수 2

「〈기생수〉를 가만히 읽어 보면 평범한 인간과 기생된 인간은 '눈'이 다르다는 것을 알 수 있습니다. 뭐라 표현해야 할지 모르겠지만, 눈 하나로도 이렇게 다른 그림을 그릴 수 있다니 굉장하군요.」
(이바라기 현 타가미 카즈마사. 18세 학생)

「기생된 인간은 인간적인 감정에 무감각해집니다. 눈은 「마음의 창」이라 하는데, 그 창문으로 보이는 것이 아무것도 없다. 그것이 기생된 인간의 눈입니다.」(이와아키 히토시)

애프터눈 '92년 1월호에서

「〈기생수〉를 영화로 만들어 주세요!
그리고 이와아키 선생님이 제일 좋아하는 영화는 뭔가요? 그리고 등장인물의 모델은 있나요?.」
(홋카이도 클라크. 29세)

**「영화는 각각 좋은 점들이 있어서 베스트 1을 뽑기 쉽지 않습니다. 두근두근하고 재미있는 것이 좋습니다.
요즘 본 것 중에서는 「터미네이터 2」. 변형하는 부분이 〈기생수〉 같아서 재미있었습니다.
나중에 뭐가 먼저 나왔는지 모르게 됐을 때 〈기생수〉가 이 작품의 아류로 불리는 것은 싫지만.
그리고 〈기생수〉의 등장인물에 특별한 모델은 없습니다.」(이와아키 히토시)**

애프터눈 '92년 3월호에서

월간 **애프터눈**

독자페이지에서 ······ Vol. 6

독자의 질문에 작가가 대답했다

기생수 2

「기생생물은 온 세계에 있겠죠?
그렇다면 미국 대통령 선거에 입후보한 기생생물이 있다면 재미있겠는데요.」
(사이타마 현 이토 카즈마사. 22세)

「걸프전 등을 보면 알 수 있겠지만, 미국 대통령은 정의를 위해 대량살인을 벌일 수도 있는 존재입니다. 대통령이라는 신분 그 자체가 이미 괴물이므로 대통령 개인이 인간이든 요괴이든 기생생물이든 별 차이는 없을지 모릅니다.」(이와아키 히토시)

애프터눈 '92년 8월호에서

「훌륭한 작품, 작가는 천재라고 단언합니다. 그리고 싶은 대로 마음껏 그려 주세요. 인류를 위해서도.」
(이와테 현 융. 35세 회사원)

**「이렇게 직설적인 칭찬을 들으면 작가로서는 '그렇지도 않습니다'라고 하면서도 우쭐한 기분이 듭니다. 편집진은 싫어할지 몰라도, 독자에게 그런 말을 듣고 싶어서 노력하는 만화가도 많을 겁니다.」
(이와아키 히토시)**

애프터눈 '92년 10월호에서

HITOSHI IWAAKI

❷

寄生獣

寄生獸

2

스페셜-002

2003년 6월 25일 초판발행
2024년 2월 29일 26쇄발행

저 자: Hitoshi Iwaaki
번 역: 서현아
발 행 인: 정동훈
편 집 인: 여영아
편집책임: 이진경
편집담당: 백유진
발 행 처: (주)학산문화사

서울특별시 동작구 상도로 282 학산빌딩
편집부: 828-8973 FAX: 816-6471
영업부: 828-8986
1995년 7월 1일 등록 제3-632호
http://www.haksanpub.co.kr

개정판 ISBN 979-11-348-7199-4 07650
ISBN 979-11-348-1789-3(세트)

값 9,000원